TOBIE

Ce fascicule a été revu, pour le Comité de Direction, par les RR. PP. M. LEFEBVRE, S. J., *Professeur au Scolasticat de Fourvière,* L. THÉOLIER, S. J., *et par* M. le Chanoine OSTY, P. S. S., *Professeur à l'Institut Catholique de Paris.*

LA SAINTE BIBLE

traduite en français

sous la direction de l'École Biblique de Jérusalem

TOBIE

traduit par

R. PAUTREL, S. J.

Professeur au Scolasticat de Fourvière

(2e édition revue)

LES ÉDITIONS DU CERF

29, boulevard Latour-Maubourg, Paris

1957

IMPRIMI POTEST :
Lugduni,
27 januarii 1951.
Jean LOUISGRAND, S. J.,
vic. prov. Lugd.

IMPRIMATUR :
Parisiis,
30 januarii 1951.
Petrus BROT,
v. g.

INTRODUCTION

Le livre. Tobit raconte qu'il a été déporté, et comment il est devenu aveugle. Sarra, fille de Ragouël, voit mourir tous ses prétendants. Leur prière provoque l'envoi de l'ange Raphaël sur terre, qui sert, sous le nom d'Azarias, de compagnon au fils de l'aveugle, Tobie. Au cours du voyage, Tobie rencontre Sarra, et l'épouse. Au retour des jeunes époux, l'aveugle recouvre la vue. Les péripéties se passent en Assyrie et en Médie, à l'époque assyrienne, VIIIe et VIIe siècles.

Canonicité. Les manuscrits onciaux grecs rangent Tobie dans un petit groupe, avec Judith et Esther, placé tantôt à la suite des livres historiques, tantôt après les sapientiaux. Des trois, seul Esther figure dans la Bible hébraïque, et la canonicité des deux autres fut objet de controverse à l'époque patristique. Malgré tout, ces livres (deutérocanoniques) font partie des listes officielles : en Occident, dans celles des Synodes africains du IVe siècle, dans le Décret du Pape Gélase, repris par Innocent Ier (405); en Orient, au Concile In Trullo (692). Les Conciles œcuméniques de Florence (1411), de Trente (1546) et du Vatican (1870) confirmèrent cette liste. Dans le protestantisme, l'Ancien Testament s'est finalement restreint aux livres contenus dans la Bible hébraïque. Jusqu'au

7

début du XVIIIᵉ siècle, les autres figuraient comme appendices dans les éditions.

Date et lieu de composition. Le Livre des Rois mentionne deux déportations en Assyrie (2 R **15** 29; **17** 6), et la seconde fois donne des précisions sur la destination des émigrés, entre autres les villes des Mèdes. On perd toute trace historique de ces déportés, et Tb paraît à première vue combler cette lacune, en nous montrant la vie de familles des tribus du Nord, à Ninive (**1** 10), à Ecbatane (**7** 1) et à Rhagès de Médie (**9** 1). Il s'en faut de beaucoup, cependant, que l'on puisse ainsi trouver des renseignements directs, tant sur la situation des tribus perdues, que sur l'époque où Tb fut écrit. L'examen du livre montre en fait que l'auteur était familier d'une bonne part de la littérature biblique postérieure, non seulement à l'exil d'Israël, mais à celui de Juda. La comparaison avec les écrits du Canon montre que sa date est à chercher entre Job et Esther, entre Zacharie et Daniel. Un examen analogue le situe, par rapport à des ouvrages non canoniques, entre l'Histoire d'Ahikar[a] et le Livre des Jubilés.

---

a) Un personnage est nommé dans Tobie, **1** 22; **2** 10; **11** 18; **14** 10, qui s'appelle Achiacharos, ou Acheicharos. Tobie est ainsi rattaché à un ouvrage d'une haute antiquité, le *Livre* (ou *la Sagesse*) *d'Ahikar*. Cet ouvrage est connu sous diverses formes, en syriaque, arménien, arabe (adaptation dans les *Mille et une nuits*), grec (dans la *Vie d'Ésope*) et slavon. Une partie a été retrouvée dans les papyrus araméens d'Éléphantine du Vᵉ siècle avant notre ère. C'est un récit servant de cadre à deux recueils de sapience, dont l'écho se retrouve dans Tobie et l'Ecclésiastique. Voici la trame du récit. Le sage Ahikar est chancelier des rois d'Assyrie Sennachérib et Asarhaddon. Ahikar a adopté et élevé son neveu Nadab, qu'il prépare pour son successeur. Ce qui introduit une première série de maximes. Puis le pupille parvenu se montre ingrat, il fait condamner à mort son bienfaiteur. Toutefois, le bourreau épargne Ahikar par un subterfuge, et le sage survit, caché dans un souterrain, d'où il assiste impuissant aux débordements de son neveu. Le roi Asarhaddon se voit sommé par le Pharaon d'Égypte de lui présenter un sage capable de répondre à ses énigmes, et à ses défis, dont le moindre n'est pas le défi de construire un château dans les airs. Nadab, et les autres fonctionnaires de la cour déclinent cette mission, et le roi formule le regret d'avoir fait tuer Ahikar. Le bourreau lui avoue alors la ruse, et l'avertit que Ahikar est vivant. Sorti de sa cachette, il est envoyé en

Tout en étant antérieur au second siècle, et aux préoccupations des livres de ce temps, il n'en est pas moins d'une époque fort éloignée de celle où se déroulent les événements qu'il raconte. Il demande seulement un moment où la situation des familles juives dispersées en dehors de la Palestine puisse fournir un cadre psychologique facile à évoquer, soit la fin du IVe siècle, ou le IIIe siècle. Il n'est pas prudent de demander une précision plus grande à l'histoire des idées, sans supposer acquis un cheminement des pensées dans le judaïsme, d'un tracé peut-être plus linéaire qu'elles n'eurent en fait.

Quant au lieu d'origine, il n'offre pas beaucoup de prise à l'examen critique. La dispersion orientale vient d'elle-même en question. Elle est difficile à retenir, le livre ne montre sur les pays dont il parle qu'une connaissance moins pertinente que celle d'Hérodote et de Xénophon. Le milieu des Juifs d'Égypte n'est pas moins plausible. Mais cette fois, on hésitera à placer là, et alors, un livre dont l'original fut sémitique. Dans cet embarras, on se trompe peut-être moins à envisager un terroir palestinien, le lyrisme du chant de Sion se conçoit plus normalement en Palestine que dans la dispersion. Encore n'est-ce là qu'un indice, qui s'accorde mal avec d'autres (cf. **13** 6 [7] : « sur ma terre d'exil »). Force est donc de reconnaître la difficulté réelle de la question d'origine. Elle paraîtra sans doute moins surprenante, quand on aura lu ce que nous allons résumer sur le problème du texte lui-même.

Texte. — Saint Jérôme (P. L., XXIX, 23) a connu le livre en chaldéen, langue appelée maintenant araméen. L'original n'est représenté par aucun des textes

---

Égypte, où il tient tête au Pharaon. N'a-t-il pas pensé à élever de jeunes aigles capables d'emporter en l'air de jeunes enfants ? Rentrant victorieux du Pharaon, il est réhabilité, son neveu lui est livré. Ahikar le fait fouetter et mettre aux ceps. Dans sa prison, il lui adresse des reproches, qui constituent la seconde série de sentences, les similitudes. Finalement Nadab meurt dans son cachot. Ce récit aide à comprendre l'allusion de Tobie, **14** 10.

sémitiques, hébreu ou araméen, édités jusqu'ici. Les fragments provenant des fouilles de Qumran (dits manuscrits de la Mer Morte), s'ils confirment l'existence d'un écrit sémitique, ne permettent pas encore d'en voir l'aspect premier, par le fait que la teneur du texte hébreu et celle du texte araméen ne coïncident pas rigoureusement. Ils aident cependant à déterminer le choix à faire dans les recensions où se rangent les versions, en grec, syriaque et latin, par lesquelles le livre nous est parvenu. Quatre recensions principales trahissent les remaniements successifs qu'a subis le livre, au terme desquels est la vulgate latine (Vulg). Deux formes de texte sont surtout en compétition, l'une représentée par les mss grecs Vaticanus (B) et Alexandrinus (A); l'autre s'appuie sur le ms grec Sinaiticus (S) et la vetus latina (VetLat). L'une et l'autre de ces recensions ont eu leurs partisans. Depuis le travail de D. C. Simpson en 1913 (dans R. H. Charles, *Apocrypha,* I), la préférence a été donnée à la recension du type Sinaiticus par A. Miller, A. Clamer, J. Bonsirven, A. Vaccari. En fait, ce texte, bien que légèrement *longior,* comprend moins de corruptions certaines que l'autre, se recommande par sa valeur littéraire, une cohérence supérieure, et telle ou telle originalité, comme la forme autobiographique de **1** 1-**3** 6. On le regarde comme la meilleure approximation grecque d'un original jusqu'ici insaisissable. Les deux recensions sont assez irréductibles pour qu'un choix s'impose, et les fragments de Qumran, bien que contenant aussi des leçons propres au Vaticanus, confirment à première vue dans l'ensemble, le choix de la recension *longior* (R*ev. Bibl.,* 63 [1956], 60; *Biblica,* 37 [1956], 265). Nous prenons ainsi pour base le texte du Sinaiticus. La recension une fois choisie, un problème demeure, surtout pour deux passages (**4** 6[b]-19[a]; **13** 6[b]-10[a]). Là, le codex a sauté quelques lignes de son archétype. Pour remédier à ces lacunes, on pourrait se contenter de le suppléer par le texte de VetLat (de la même recension). On a préféré en général recourir à la recension du Vaticanus pour ces passages. C'est aussi ce que nous faisons, tout en tenant compte de la *vetus latina,* et de la version *syriaque* (Syr). A part ces restitutions dont on ne peut attendre qu'un résultat plausible, on pense serrer ailleurs le livre perdu d'assez près.

Notre traduction s'est basée sur les Septante de Cambridge (1940). Elle n'oublie pas que S et VetLat sont déjà des traductions, elle a cherché à être fidèle à ces textes, sans être infidèle au livre. On s'est ainsi résolu à plusieurs traductions du mot ʿυγιαινῶν, parce que ce mot est un décalque mécanique d'une expression qui évoque aussi bien l'euphorie psychologique, morale et sociale, que la santé. On a suggéré une lecture rythmée des prières en style de psaumes, sans prétendre certes restituer les vers originaux, pour ne pas transcrire de la poésie en pure prose. On a écrit « pierres d'Ophir » (**13** 17), bien que le texte ait « pierres de Souphir », parce que ce mot ne sert dans les Septante qu'à rendre « Ophir ». Enfin, on a considéré « Ahikar, roi de Médie » (**14** 14), comme un lapsus, et corrigé en « Cyaxare, roi de Médie ».

Style. La prose servait de cadre à la sagesse dans Job; elle se développe dans le Livre d'Ahikar qui tourne au roman didactique. Dans Tb, la sapience en forme de maximes perd de son importance (le ch. **4**, et quelques versets dans les ch. **12** et **14**), et le récit domine. La sapience disparaîtra dans Esther. La narration de Tb s'enrichit d'emprunts au lyrisme, ce qu'on retrouvera dans la partie grecque d'Esther, et dans Judith.

Sans avoir eu de modèles proprement dits, l'auteur a pu se servir de diverses réminiscences dans tel ou tel épisode. La guérison de Sarra rappelle l'écrit égyptien dit Traité de Khons, où une princesse, à Ecbatane, est délivrée d'une possession démoniaque par un dieu d'Égypte. Le Livre d'Ahikar a certainement fourni les noms de personnages de seconde importance, les cousins de Tobie. La question a été posée de savoir si le Conte du mort reconnaissant, fréquent sous diverses formes dans le folklore, n'aurait pas quelque rapport avec le mérite des sépultures de cadavres dans Tb. La plus ancienne mention de ce conte semble être dans le *De Divinatione* de Cicéron, et il est aussi gratuit de lui supposer, que de lui refuser, une priorité sur Tb. De toute façon, le livre montre davantage sa connaissance des écrits bibliques, la Genèse notamment. La geste patriarcale a fourni des emprunts précis, qui font des fiançailles de Rébecca et de Rachel, ainsi que de l'histoire de Joseph, des harmoniques constantes de Tobie. Là encore, à côté de phrases dont la rédaction même accuse la réminiscence, il y a une façon propre de tirer de quelques mots, comme de ceux de Gn **24** 7, 40 : « Yahvé enverra son ange devant toi, et fera réussir ton voyage; et tu prendras pour mon fils une femme de ma parenté », de quoi camper tout le personnage de Raphaël. Cet exemple suffit à montrer l'indépendance avec laquelle l'auteur utilise ses sources pour une création nouvelle. Elle révèle un grand talent, le dialogue est soigné, et le Cantique, loin d'être un pâle pastiche, est un des joyaux de la poésie sémitique.

Genre. L'auteur a plus de souci esthétique que de prétention en matière de topographie ou de chrolonogie. Ecbatane, actuellement Hamadan, est à une altitude de 2.010 mètres; Rhagès, aujourd'hui Raï, près de Téhéran, à 1.132 mètres, en est éloignée d'environ 300 kilomètres. C'est beaucoup pour les deux jours de marche normale dont parle Tb **5** 6. Cela ne s'accorde point avec l'idée que Rhagès est dans la montagne, et Ecbatane dans la plaine (*ib.*). Le pays de Nephtali fut emmené en captivité par Téglat Phalasar (2 R **15** 29), soit par le prédécesseur de Salmanasar. Après Salmanasar, qui fit le siège de Samarie, Sargon la prit (2 R **17** 6, note). Tb saute le règne de Sargon, et fait succéder Sennachérib à Salmanasar (**1** 15). Il n'y a pas que le cadre où se meut l'action, qui laisse à désirer. Tobit ne peut avoir été en personne témoin de la Sécession des tribus, en 931 (**1** 4), et déporté en 734 (**1** 10). Son fils, né avant la déportation (**1** 9), ne peut guère avoir connu la ruine de Ninive en 612 (**14** 15). Il est possible que certaines de ces négligences soient le fait des versions. Dans Ahikar, des fautes comparables sur la suite des règnes, figurent dans les versions, alors que l'araméen s'en était gardé (Charles, *Apocrypha*, II, 720). On peut ainsi également penser que rien de décisif n'oblige à exclure, par exemple, un noyau historique dans l'original de Tb, ce qui est vrai, ou se demander si le genre littéraire lui-même de ce livre ne s'accommode pas de ces à-peu-près. Aussi bien, « s'il y a un noyau historique, dit A. Miller, la critique est impuissante à discerner ce qui est histoire proprement dite, et sa mise en œuvre par l'auteur ». De son côté, A. Robert écrit : « On ne saurait déclarer impertinente la question de savoir si l'auteur n'aurait pas voulu proposer son enseignement sous le voile d'une fiction. » L'interprète ayant avant tout à rejoindre l'intention de l'auteur, il importe de voir que « le but principal de ce petit livre demeure l'instruction religieuse et l'édification » (A. Miller), et l'on ne peut que gagner à se préoccuper principalement des problèmes de doctrine qu'il aborde, autrement dit, à l'apparenter aux écrits de sagesse. « Le livre de Tb, dit le même auteur, représente, au point de vue littéraire, un stade intermédiaire, entre les livres historiques proprement dits, où la leçon des faits est parfois nettement religieuse, et la littérature proprement sapientielle. »

Doctrine. On lit spontanément comme sagesse le ch. **4**, et quelques versets des ch. **12** et **14**, et il convient de signaler l'importance des conseils sur l'aumône en particulier. Ces passages, en forme de maximes, ne sont guère que des ornements dans un récit qui fait le sujet du livre. Ce récit, assez vite, se centre sur un double cas de juste souffrant, ce par quoi il rejoint le livre de Job (cf. Tb **2** 12, 15 Vulg). Tobit, le père, modèle d'observance et de fidélité, bienfaiteur des déportés, attentif à donner la sépulture aux cadavres abandonnés, est victime d'un accident injustifié. Sarra, l'innocente jeune fille, est mariée sept fois, sans garder un seul de ses maris, qui meurent avant d'entrer dans sa chambre. Tous les deux, par leur infortune, deviennent la cible des propos de témoins malavisés (**2** 14; **3** 8). Tous les deux, devant ces sarcasmes, demandent à mourir, car, disent-ils, « la mort vaut mieux pour moi que la vie » (**3** 7, 15). Nous sommes en plein problème de sapience : la vertu est-elle récompensée, la vie vaut-elle d'être vécue ?

Or la façon dont ces deux cas se présentent n'est pas indifférente. Pourquoi Tobit est-il aveugle ? La fiente des moineaux lui est tombée dans les yeux. C'est l'accident pur, le hasard, la malchance. Pourquoi Sarra perd-elle ses maris ? C'est l'effet d'un maléfice, la méchanceté du démon Asmodée. Dans les deux cas, il est futile d'invoquer la rétribution temporelle comme explication du sort. Aucun esprit sensé ne devrait en faire grief à Dieu. Par contre, on restera disposé à attendre ce que Dieu fera pour répondre aux prières des infortunés (**3** 16 s).

La clef du livre se trouve en **3** 16 s et **12** 12-15, avec l'évocation de ce séjour majestueux de la Gloire de Dieu, où ne pénètrent que les Sept. Dans ce sanctuaire, la supplique des deux malheureux est présentée par Raphaël. On apprend qu'il reçoit mission de venir sur terre opérer les deux guérisons. Le lecteur est ainsi mis dans le secret, et prêt à suivre avec émerveillement les péripéties de l'action, dont les acteurs ne doivent connaître qu'à la fin le ressort caché. Récit trop beau, trop littéraire, pour être croyable ? Prenons-y garde, ce livre n'est pas fait pour donner une recette pour la cécité des yeux, mais pour l'aveuglement de l'esprit. La Providence divine dans nos vies quotidiennes, qu'il nous incite à deviner, n'est pas un conte.

La position que prend Tb se refuse donc à rendre Dieu comptable des malheurs qui nous arrivent, mais oblige à lui attribuer la part de bonheur qui se trouve sur nos routes. Tb compense ainsi des outrances qu'ont, ailleurs, frôlées les Sages qui critiquèrent la théorie de la rétribution temporelle. Élihu rapportait des formules supposant que la conduite humaine laissait Dieu indifférent (Jb **35** 2), et le Dieu de Qohélet est si distant qu'on le pourrait croire absent. Or Dieu n'est ni indifférent, ni absent, il est caché. Azarias était l'instrument de Dieu, mais son incognito ne se lève qu'à son départ. Tb n'a pas seulement demandé à la Genèse des éléments de son récit, il lui a emprunté les principes formulés sur une Providence qui tire le bien du mal (Gn 45 4-8; 50 19-21). Cette doctrine ne supprime pas le malheur, elle peut le rendre plus supportable. De deux épreuves, et de deux prières, Dieu peut faire une grande joie. Cette conception optimiste de la vie suppose qu'on joigne la foi à l'expérience brute, mais c'est une oasis au milieu du désert.

Faut-il chercher plus loin ? Tb apporte un autre correctif notable à la pensée sapientielle. En effet, pour élaborer leur conception de la condition humaine, les Sages ont démarqué, de façon simpliste au début, dans Proverbes, ce qui avait été promulgué de la Loi au sujet de la collectivité, entre autres la rétribution. De là sortirent bien des apories de l'anthropologie, car l'homme sans son cadre naturel est presque un être de raison. La cure d'émerveillement devant la nature et le grand jardin zoologique de Dieu, dans les discours de Yahvé du Livre de Job, est opportune, en ce sens que l'homme qui souffre a autant besoin de baume que d'explications; elle est en même temps une explication véritable, parce qu'elle oblige l'homme à ne pas s'hypnotiser sur son cas individuel. Dans un mouvement de pensée analogue, Tb replace l'homme dans son premier contexte naturel, la famille, qui le garantit contre la déréliction, et lui fournit sa première part naturelle de bonheur. C'est bien pour cela que Tb a repris de la Genèse patriarcale ce qu'elle a de plus sentimental, de plus touchant, de plus frais. Le sens familial, éprouvé par les séparations, exalté par les revoirs, met notre récit dans le cycle des rencontres, comme jadis l'histoire de Joseph, comme plus tard celle du Prodigue. Le mariage auquel nous assistons est une de ces alliances endogames par quoi les ancêtres évitèrent la contamination des païens. Or, de même que l'individu ne peut se penser sans la famille, le couple ne peut se faire sans la parenté, qui, ici, a même plus à voir au mariage que les seuls fiancés. Éliézer n'avait-il pas choisi Rébecca pour Isaac ? Ainsi Raphaël suggère-t-il Sarra à Tobie, qui l'aimera avant de l'avoir vue. De là naît un type d'amour sans passion, exorcisé, dirait-on, dans le sortilège de la famille. Il suffira d'ajouter une aura de prières à la rencontre nuptiale, pour aboutir à une représentation très élevée, chrétienne avant la lettre, du mariage. La Vulgate, en accentuant cet aspect du livre, reste fidèle au sens réel du livre original.

En réintroduisant la notion de la famille dans l'examen de la condition humaine, Tb y donne place aussi à celle d'Israël. En effet, la famille donnée en exemple reste, dans la dispersion, régie par un droit à part, comme la loi sur les filles héritières, qui est un des ressorts de l'action. L'origine de cette loi (Nb 27 6; **36** 8) vient du cas de Çelophehad, mort sans fils, et dont cinq filles vont devenir héritières. Si elles se marient en dehors de leur tribu, avec leur dot, la part de leur père risque d'être amputée du domaine tribal. Si le cas se répète, on voit assez quel enchevêtrement d'enclaves présenterait vite le cadastre. Aussi la Loi impose aux filles héritières de trouver mari dans leur tribu. Ainsi se crée un droit de priorité à l'héritage pour les plus proches cousins non mariés, s'ils veulent épouser l'héritière. Sans doute, pouvait-on y renoncer, comme dans le cas du lévirat, et le droit passait de proche en proche. Tobie se trouvait de la sorte désigné pour être le mari de Sarra. Cette loi est propre à Israël, et en en faisant une donnée indispensable de l'histoire, l'auteur de Tb invite la pensée sapientielle à sortir d'une neutralité affectée, d'une prétention à étudier l'homme en général qui aboutirait à le regarder comme orphelin et apatride. Tb fait rentrer Israël dans la sapience, il n'en sortira plus. Après tout le sage ne saura jamais plus sur les rapports de l'homme et de Dieu que ce qu'il a appris des rapports entre Israël et Yahvé. Ne soyons pas surpris de trouver dans le Cantique du ch. **13** le long morceau sur la ruine et la restauration de Jérusalem, à la suite du chant d'action de grâces de Tobit. C'est la même foi, et la même espérance, qui apprend à sourire dans les larmes et à tout attendre de la main de Dieu, quand elle réfléchit sur l'épreuve et le salut de Sion, et sur l'épreuve et le salut de l'innocent.

Usage liturgique. Le Lectionnaire de Luxeuil fait lire intégralement Tb à None, au premier jour des Rogations. Dans notre Office, le choix des extraits s'est arrêté sur les passages les plus significatifs au point de vue doctrinal. C'est ainsi que la 3ᵉ semaine de septembre utilise comme *scriptura occurrens* des passages des ch. **1-3** et **12**, soit ceux qui concernent l'infortune et la prière de Tobit, et la manifestation de Raphaël. Le ch. **13** (1-9 dans la nouvelle version) est choisi comme cantique aux Laudes du mardi, à cause de sa profession de foi en la Providence d'un Dieu Sauveur, manifeste tant dans l'histoire du peuple que dans la vie personnelle. L'ordre donné par Raphaël (**12** 6) de remercier Dieu pour sa miséricorde a donné la Communion de la Messe de la Sainte Trinité, avec un simple changement de personne (*Benedicimus*). On le reconnaît encore dans l'Offertoire, et même l'Introït de la même Messe. Tb **3** 13 se reconnaît dans le second Répons du premier Nocturne, au Saint Nom de Jésus. A la fête de saint Raphaël, le 24 octobre, les antiennes sont tirées de Tb; les leçons de Matines utilisent le ch. **12**, et le verset mis en vedette est Tb **12** 12, dans les capitules, soit celui où se révèle la Providence, par la levée du secret du compagnon de route de Tobie. L'épître du même jour est Tb **12** 7-15. Tb **12** 12 reparaît comme Offertoire le 20 juillet (saint Jérôme Émilien). Le rôle de Raphaël comme guérisseur figurait dans les anciens *ordines* pour la visite des malades, et est rappelé dans une strophe de l'Hymne de la Dédicace de saint Michel, à Laudes, et de celui des Vêpres de saint Raphaël. Le 2 octobre, la fête des Anges gardiens prend Tb **5** 22 (Vulg 21) pour la 3ᵉ antienne de Matines, et Tb **12** 18 pour la 4ᵉ [a]. Son rôle de compagnon de route est rappelé dans la bénédiction du bâton et de l'escarcelle des pèlerins, au Moyen Age, ainsi que dans l'Oraison

---

a) Le sacramentaire gélasien avait un *Hanc igitur* propre pour la messe *pro iter agentibus,* avec renvoi à Tb **10** 11 (Vulg). Une allusion analogue se trouve dans une Préface pour la même messe, dans le supplément d'Alcuin au sacramentaire grégorien d'Hadrien.

qui suit l'imposition de la Croix, au départ en Terre Sainte, qui est toujours au Pontifical, ou dans l'*Itinerarium*. Il n'est pas oublié dans les plus récentes bénédictions du Rituel, telle la *Benedictio Sollemnior Viae ferreae et curruum*.

Quant à la Messe *pro sponso et sponsa,* l'Introït est composé de deux extraits, Tb **7** 15 (Vulg) avec une inversion, et un abrégé; et **8** 17 (Vulg). Dans la bénédiction des époux, après le Pater, la grande Oraison comporte une réminiscence de Tb **8** 7, sur la conception du mariage dans le plan du Créateur, et peut-être de Tb **14** 15 (Vulg) à la fin. Par contre, il semble bien que la Sara dont parle le milieu de l'Oraison soit l'épouse d'Abraham, malgré sa place après Rachel et Rébecca (d'après le P. Galdos). Dans la bénédiction qui précède le dernier évangile, on lit Tb **7** 5 (Vulg) et peut-être **14** 15. Le Rituel Romain, pour la bénédiction du mariage *extra missam,* fait également un rappel de Tb **3** 17[a].

Le chant de Sion du ch. **13**[b] a donné au Pontifical deux répons dans la Consécration des églises : le répons *Plateae* est Tb **13** 21 (Vulg 22) et **13** 11 (Vulg 13). Le répons *Induit* emploie Tb **13** 11 et 13 (Vulg 13 à 17). Le verset *Luce splendida fulgens* y est en relief. Le premier de ces répons figure également à Matines du mercredi de la troisième semaine après Pâques. L'Office de la Dédicace emploie Tb **13** 16 (Vulg 21) comme antienne à Laudes, et comme 8e répons à Matines.

---

a) Le service du mariage de l'Église anglicane comprend d'autres allusions, notamment à Tb **6** 17 dans la Préface.

b) Retenu aussi pour la Dédicace dans l'office bénédictin (**13** 10-17 Vulg).

TOBIE[a]

1. [1] Histoire de Tobit[b], fils de Tobiel, fils de Ananiel,
fils d'Adouel, fils de Gabaël, de la lignée d'Asiel, de la
tribu de Nephtali. [2] Aux jours de Salmanasar[c], roi d'Assyrie, il fut déporté de Tibé[d], qui se trouve au sud de Cédès-
Nephtali, en Haute-Galilée, au-dessus de Hasor, en retrait
à l'ouest, et au nord de Shephat.

---

1 1. *Après « fils de Gabaël » S ajoute « fils de Raphaël, fils de Ragouël »; omis
par B A.*
2. *« Salmanasar » VetLat Syr ; « Enemessar » S B A. De même aux vv.* 13, 15,
16. *— « Tibé » A ; « Tibas » Syr ; « Bihel » VetLat ; « Tisbé » B S. — « Cédés »
et « Hasor » conj.; « Kydias » et « Asser » S ; « Cidisse » et « Naasson » VetLat.
— « Shephat » d'après « Sephet » Vulg ; « Phogor » S ; « Raphaim » VetLat.*

---

a) Le texte latin de la Vulg est souvent assez différent du texte grec
suivi par la présente traduction (voir l'Introd., p. 10), ce qui entraîne de
fréquentes discordances dans la numérotation des v. Les notes signaleront
les additions de la Vulg les plus notables, et on trouvera en marge
la numérotation de la Vulg, lorsqu'elle est différente du grec et que le
texte de la Vulg correspond, au moins substantiellement, à celui du grec.

b) Le nom du père est en grec Tôbeith ou Tôbeit, ce qui se transcrit
en français Tobit; celui du fils, Tôbeias, ou Tôbias, forme francisée : Tobie.
C'est un nom porté par d'autres personnages bibliques, dans les Chro-
niques, Esdras et Néhémie.

c) Le cadre historique du livre a des raccourcis conventionnels, voir
l'Introduction, p. 12.

d) A situer dans les collines à l'ouest-sud-ouest du Lac Houlé (actuellement Teitaba). Le grec semble l'avoir confondue avec le nom de la patrie
d'Élie le Thesbite, qui est en Galaad. Tous ces noms de lieux sont défec-
tueux.

I. *LE DÉPORTÉ*

³ Moi, Tobit, j'ai marché sur des chemins de vérité et dans les bonnes œuvres tous les jours de ma vie *ᵃ*. J'ai fait beaucoup d'aumônes à mes frères et à mes compatriotes déportés avec moi à Ninive, au pays d'Assyrie. ⁴ Dans ma jeunesse, quand j'étais encore dans mon pays, la terre d'Israël, toute la tribu de Nephtali mon ancêtre se détacha de la maison de David et de Jérusalem. C'était pourtant la ville choisie parmi toutes les tribus d'Israël pour leurs sacrifices; c'était là que le Temple, où Dieu réside, avait été bâti et dédié pour toutes les générations à venir. ⁵ Tous mes frères, et la maison de Nephtali, eux, sacrifiaient au veau qu'avait fait Jéroboam, roi d'Israël, à Dan, sur les monts de Galilée *ᵇ*.

⁶ Bien des fois, j'étais absolument seul à venir en pèlerinage à Jérusalem, pour satisfaire à la loi qui oblige tout Israël à perpétuité *ᶜ*. Je courais à Jérusalem, avec les prémices des fruits et des animaux, la dîme du bétail, et la première tonte des brebis. ⁷ Je les donnais aux prêtres, fils d'Aaron, pour l'autel. Aux lévites, alors en fonctions à Jérusalem, je donnais la dîme du vin et du blé, des olives, des grenades et des autres fruits. Je prélevais en espèces la seconde dîme, six ans de suite, et j'allais la dépenser à Jérusalem. ⁸ Je donnais la troisième aux orphelins,

---

4. *Après « David » S ajoute « mon père ». — « choisie » avec VetLat.*
5. *Avant « les monts » S ajoute « tous ».*
8. *« la troisième » Syr ; « celle de la troisième année » VetLat ; omis par S.*

a) La piété de Tobit n'est pas tant faite de la méditation de la Loi, cf. Ps **119**, etc., que de la pratique des bonnes œuvres qui l'accomplissent : l'aumône, la sépulture donnée aux morts, les pèlerinages, l'acquittement de la dîme, etc.
b) Cf. 1 R **12** 26-32.
c) Cf. Dt **16** 16.

aux veuves et aux étrangers qui vivent avec les Israélites;
je la leur apportais en présent tous les trois ans. Nous la
mangions, fidèles à la fois aux prescriptions de la Loi
mosaïque*a* et aux recommandations de Debbora, mère de
Ananiel, notre père; parce que mon père était mort, en
me laissant orphelin. ⁹ A l'âge d'homme, je pris une femme
de notre parenté, qui s'appelait Anna; elle me donna un
fils que je nommai Tobie.

11   ¹⁰ Lors de la déportation en Assyrie, quand je fus
emmené, je vins à Ninive. Tous mes frères, et ceux de ma
12 race, mangeaient les mets des païens; ¹¹ pour moi, je me
13 gardai de manger les mets des païens*b*. ¹² Comme j'avais
été fidèle à mon Dieu de tout mon cœur, ¹³ le Très Haut
me donna la faveur de Salmanasar, dont je devins l'homme
16 d'affaires*c*. ¹⁴ Je voyageais en Médie, où je passai des mar-
chés pour lui, jusqu'à sa mort; et je déposai chez Gabaël,
frère de Gabri*d*, à Rhagès de Médie*e*, des sacs d'argent
pour dix talents*f*.

---

9. « *qui s'appelait Anna* » *A B VetLat* ; *omis par S.*
14. «*Gabaël*» *A B* ; «*Gabel*» *S VetLat* ; «*Gabriel*» *Syr.* — «*Gabri*» *S* ;
« *Gabrias* » *A B* ; « *Gabaël* » *VetLat* ; « *Gabriel* » *Syr.* — « *Rhagès* » *B VetLat;*
omis par S.

---

a) On reconnaît : 1) le droit des prêtres (Dt **18** 3-5) et des lévites (Nb **18**
12 s); 2) les prémices convertibles en numéraire (Dt **14** 22-27); 3) le droit
des pauvres (Dt **14** 28-29). Les prescriptions de la Loi sont ici interprétées
avec quelque emphase. La rédaction de B a cherché à conformer le récit
aux pratiques réelles des Juifs (Josèphe, *Antiq.*, IV, 8, 22).
    b) Il ne s'agit pas forcément des mets offerts aux faux dieux. Les repas
préparés sans tenir compte des interdits légaux du sang et des animaux
impurs (Lv **11**; Dt **14**) étaient redoutés des Juifs fidèles (Dn **1** 8; Jdt **12** 1;
Est **14** 17).
    c) Cf. Dn **2** 48-49.
    d) Gabaël est dit ailleurs fils de Gabri (**4** 20).
    e) Voir note sur **5** 6. Des Israélites avaient été déportés dans les villes
des Mèdes (2 R **17** 5).
    f) Le talent d'argent, ou soixante mines, équivalait à un poids de
43 kg. 65 (Kortleitner).

18 ¹⁵ A la mort de Salmanasar, Sennachérib, son fils, lui
succéda; les routes de Médie se fermèrent, et je ne pus
continuer à m'y rendre. ¹⁶ Aux jours de Salmanasar, j'avais
20 fait souvent l'aumône à mes frères de race; ¹⁷ je donnais
mon pain aux affamés, et des habits à ceux qui étaient
nus^a; et j'enterrais, quand j'en voyais, les cadavres de mes
compatriotes, jetés par-dessus les remparts de Ninive.
21 ¹⁸ J'enterrai de même ceux que tua Sennachérib (quand
il revint en fuyard de Judée, après le châtiment du Roi
du Ciel sur le blasphémateur, Sennachérib, dans sa colère,
tua un grand nombre d'Israélites). Alors, je dérobais leurs
corps pour les ensevelir; Sennachérib les cherchait et ne
22 les trouvait plus. ¹⁹ Un Ninivite vint informer le roi que
j'étais le fossoyeur clandestin. Quand je sus le roi rensei-
gné sur mon compte, que je me vis recherché pour être
mis à mort, j'eus peur, et je pris la fuite. ²⁰ Tous mes
biens furent saisis; tout fut confisqué pour le trésor; rien
ne me resta, que ma femme Anna, et que mon fils
Tobie.
24 ²¹ Moins de quarante jours après, le roi fut assassiné
par ses deux fils, qui s'enfuirent dans les monts Ararat.
Asarhaddon, son fils, lui succéda. Ahikar^b, fils de mon
frère Anaël, fut chargé des comptes du royaume, et il
avait la direction générale des affaires. ²² Alors Ahikar
intercéda pour moi, et je pus redescendre à Ninive. C'est
que Ahikar, sous Sennachérib, roi d'Assyrie, avait été

---

15. « *Sennachérib* » *corr.*; « *Sennachereim* » *S* ; « *Sennacherim* » *VetLat* ;
« *Achereil* » *B*.
21. « *Asarhadon* » *corr.* ; « *Sacherdonos* » *B A S* ; « *Archedonasar* » *VetLat*.
— « *Ahikar* » *corr.*; « *Acheicharos* », « *Achiacharos* » *B A S* ; « *Achicarus* »
VetLat.

---

a) Cf. Jb **31** 16-20; Is **58** 7; Mt **25** 35.
b) Voir Introduction, p. 8, note *a*.

grand échanson, garde du sceau, administrateur, et maître
des comptes; et Asarhaddon l'avait maintenu en fonctions. Il était de ma parenté, c'était mon neveu.

II. L'AVEUGLE

2. [1] Sous le règne d'Asarhaddon[a], je revins donc
chez moi, et ma femme Anna me fut rendue avec mon
fils Tobie. A notre fête de la Pentecôte (la fête des Semaines[b]), il y eut un bon dîner. Je pris ma place au repas, [2] on
m'apporta la table et on m'apporta plusieurs plats. Alors
je dis à mon fils Tobie : « Va chercher, mon enfant, parmi
nos frères déportés à Ninive, un pauvre qui soit de cœur
fidèle, et amène-le pour partager mon repas. J'attends que
tu reviennes, mon enfant. » [3] Tobie sortit donc en quête
d'un pauvre parmi nos frères, mais il revint et dit : « Père ! »
Je répondis : « Eh bien, mon enfant ? » Il reprit : « Père,
il y a quelqu'un de notre peuple qui vient d'être assassiné,
il a été étranglé, puis jeté sur la place du marché, et il y
est encore. » [4] Je ne fis qu'un bond, laissai mon repas
intact, enlevai l'homme de la place, et le déposai dans une
chambre, en attendant le coucher du soleil pour l'enterrer. [5] Je rentrai me laver, et je mangeai mon pain dans le

---

2 1. « *Asarhaddon* » *corr.*; « *Sacherdonos* » *S ;* « *Sacerdonassar* » *VetLat.*

---

a) Asarhaddon, successeur de Sennachérib, a régné de 680 à 669. Sur
les libertés du livre de Tobie avec la chronologie, voir l'Introduction,
p. 12.
b) Sur cette fête des Semaines, appelée ici de son nom grec Pentecôte,
voir Ex **23** 16; Dt **16** 9-12; Lv **23** 15-21. Cinquante jours (ou sept semaines)
après la Pâque, elle célébrait joyeusement la fin de la moisson du froment.
On y rattacha tardivement le souvenir de la promulgation de la Loi au
Sinaï.

chagrin, ⁶ avec le souvenir des paroles du prophète Amos
sur Béthel :

> *Vos fêtes seront changées en deuils*
> *et tous vos cantiques en lamentations.*

⁷ Et je pleurai. Puis, quand le soleil fut couché, j'allai, je
creusai une fosse et je l'ensevelis. ⁸ Mes voisins disaient
en riant : « Tiens ! Il n'a plus peur. » (Il faut se rappeler
que ma tête avait déjà été mise à prix pour ce motif-là.)
« La première fois, il s'est enfui; et le voilà qui se remet
à enterrer les morts ! »

10   ⁹ Ce soir-là, je pris un bain, et j'allai dans la cour, je
m'étendis le long du mur de la cour. Comme il faisait
11 chaud, j'avais le visage découvert, ¹⁰ je ne savais pas qu'il
y avait, au-dessus de moi, des moineaux dans le mur. De
la fiente me tomba dans les yeux toute chaude. Il s'ensuivit
des taches blanches, que je dus aller faire soigner par les
médecins. Plus ils m'appliquaient d'onguents, plus les
taches m'aveuglaient, et finalement la cécité fut complète.
Je restai quatre ans privé de la vue, tous mes frères en
furent désolés; et Ahikar pourvut à mon entretien pendant deux années, avant son départ en Élymaïde[a].

19   ¹¹ A ce moment-là, ma femme Anna prit du travail
d'ouvrière, elle filait de la laine et recevait de la toile
à tisser, ¹² elle livrait sur commande et on lui payait le
prix. Or, le sept mars[b], elle termina une pièce et elle la

---

6. « *cantiques* » *VetLat, cf. Am* **8** 10; « *voies* » *S.*
11. « *elle filait... toile à tisser* » *VetLat ; omis par S.*

---

a) Une addition de la Vulg (vv. 12-18) compare la patience de Tobit à
celle de Job. Aux reproches de ses parents, Tobit répond : « Ne parlez pas
de la sorte, nous sommes les fils des saints, et nous attendons cette vie que
Dieu donnera à ceux qui ne retirent pas leur foi de lui. »

b) Le mois macédonien de Dystros équivalait au mois Adar des Juifs
(février-mars).

²⁰ livra aux clients. Ils lui donnèrent tout son dû, et de plus
²¹ ils lui firent cadeau d'un chevreau pour un repas. ¹³ En
entrant chez moi, le chevreau se mit à bêler, j'appelai ma
femme et lui dis : « D'où sort ce cabri ? Et s'il avait été
volé ? Rends-le donc à ses maîtres, nous n'avons pas le
droit de manger le produit d'un vol. » ¹⁴ Elle me dit :
« Mais c'est un cadeau qu'on m'a donné par-dessus le
marché ! » Je ne la crus pas, et je lui dis de le rendre à ses
²² propriétaires (j'en rougissais devant elle). Alors elle répli-
qua : « Où sont donc tes aumônes ? Où sont donc tes
bonnes œuvres ? Tout le monde sait ce que cela t'a rapporté[a] ! » 3. ¹ L'âme désolée, je soupirai, je pleurai,
et je commençai cette prière de lamentation[b] :

² Tu es juste, Seigneur,
   et toutes tes œuvres sont justes.
   Toutes tes voies sont grâce et vérité,
   et tu es le Juge du monde.

³ Et maintenant, toi, Seigneur,
   souviens-toi de moi, regarde-moi.
   Ne me punis pas pour mes péchés,
   ni pour mes ignorances,
   ni pour celles de mes pères.

---

a) Les récriminations d'Anna rappellent celles de la femme de Job,
Jb **2** 9 (la Vulg [v. 23] accentue le parallèle). Les Sapientiaux, volontiers
misogynes, font endosser à la femme (plus sensible, plus excusable) les
propos de révolte contre la Providence.

b) La prière de Tobit, et celle de Sarra, évoquent la tristesse de la prière
de Moïse après l'épisode de la manne (v. 6, cf. Nb **11** 15). Les sentiments,
et souvent l'expression rappellent Baruch (vv. 3-5, cf. Ba **1** 17-18 ; **2** 4 s ;
3 8) et Daniel (vv. 2 s, cf. Dn **3** 27-32 ; vv. 4 s, cf. Dn **9** 5-6). La phrase :
« la mort vaut mieux pour moi que la vie » est identiquement dans Jonas
(Jon **4** 3, 8) ; cf. Jb **7** 15.

Car nous avons péché devant toi
⁴ et violé tes commandements ;
et tu nous as livrés au pillage,
à la captivité et à la mort,
à la fable, à la risée et au blâme
de tous les peuples où tu nous as dispersés.

⁵ Et maintenant, tous tes décrets sont vrais,
quand tu me traites selon mes fautes
et celles de mes pères.
Car nous n'avons pas obéi à tes ordres,
ni marché en vérité devant toi.

⁶ Et maintenant, traite-moi comme il te plaira,
daigne me retirer la vie :
je veux être délivré de la terre
et redevenir terre.
Car la mort vaut mieux pour moi que la vie.
On m'a fait des reproches sans raison,
et j'ai une immense douleur !

Seigneur, j'attends que ta décision
me délivre de cette épreuve.
Laisse-moi partir au séjour éternel,
ne détourne pas ta face de moi, Seigneur.
Car mieux vaut mourir que passer ma vie
en face d'un mal inexorable,
et je suis las de m'entendre outrager.

---

3 3-4. « *nous* » *VetLat B Syr ; sing. S.*
   5. « *et celles de mes pères* » *VetLat B Syr ; omis par S.*

III. *SARRA*

[7] Le même jour, il advint que Sarra, fille de Ragouël, habitant d'Ecbatane en Médie, entendit aussi les insultes d'une servante de son père. [8] Il faut savoir qu'elle avait été donnée sept fois en mariage, et qu'Asmodée[a], le pire des démons, avait tué ses maris l'un après l'autre, avant qu'ils se soient unis à elle comme de bons époux[b]. Et la servante de dire : « Oui, c'est toi qui tues tes maris ! En voilà déjà sept à qui tu as été donnée, et tu n'as pas eu de chance une seule fois ! [9] Si tes maris sont morts, ce n'est pas une raison pour nous châtier ! Va donc les rejoindre, qu'on ne voie jamais de toi ni garçon ni fille ! » [10] Ce jour-là, elle eut du chagrin, elle sanglota, elle monta dans la chambre de son père, avec le dessein de se pendre. Puis, à la réflexion, elle pensa : « Et si l'on blâmait mon

---

8. « *tu n'as pas eu de chance* » *A B VetLat Syr* ; « *tu n'as pas été nommée* » *S*.
9. « *de toi* » *A B VetLat Syr* ; *omis par S*.

---

a) Premier témoignage littéraire du nom d'Asmodée. On l'a rapproché de celui d'Aeshma, l'un des démons du parsisme (plutôt démon de la colère). L'emprunt n'est pas sûr, tout en restant possible à titre d'essai de couleur locale (Lagrange). Il se peut aussi que le nom soit sémitique, comme celui de Raphaël. Il signifierait : celui qui fait périr. On le rapprocherait de l'ange destructeur de 2 S **24** 16 ; Sg **18** 25 ; Ap **9** 11. Asmodée paraît encore dans le Testament de Salomon, et, sous la forme Ashmeday, dans le judaïsme postbiblique. Dans le Testament de Salomon, on le voit se présenter en disant : « Mon rôle est de conspirer contre les nouveaux époux, pour les empêcher de se connaître. Je détruis la beauté des vierges, et je change leurs cœurs. Je transporte les hommes en accès de folie et de convoitise, et bien qu'ils aient leurs femmes, ils les quittent pour des femmes qui sont à d'autres maris, si bien qu'ils pèchent et tombent dans des actes homicides. »
b) Sarra est affligée d'un maléfice qui entraîne la mort de ses fiancés. Dans l'antiquité orientale, la maladie est attribuée à la malice de quelque génie ou démon. A comparer, dans l'Évangile, la femme courbée, possédée depuis dix-huit ans d'un démon qui la rendait infirme (Lc **13** 11-16).

père ? On lui dira : ' Tu n'avais qu'une fille chérie, et, de
malheur, elle s'est pendue ! ' Je ne veux pas causer à mon
père un chagrin qui conduirait sa vieillesse au séjour des
morts[a]. Je ferais mieux de ne pas me pendre, et de sup-
plier le Seigneur de me faire mourir, afin que je n'entende
plus d'insultes pendant ma vie. » [11] A l'instant, elle étendit
les bras du côté de la fenêtre[b], elle pria ainsi :

[13]
    Tu es béni, Dieu de miséricorde !
    Que ton Nom soit béni dans les siècles,
    et que toutes tes œuvres
    te bénissent dans l'éternité !

[14]
    [12] Et maintenant, je lève mon visage
    et je tourne les yeux vers toi.
[15]
    [13] Que ta parole me délivre de la terre,
    je ne veux plus m'entendre outrager[c] !

[16]
    [14] Tu le sais, toi, Seigneur,
    je suis restée pure,
    aucun homme ne m'a touchée,
[17]
    [15] je n'ai pas déshonoré mon nom,
    ni celui de mon père,
    sur ma terre d'exil.

---

12. « *je lève mon visage et je tourne les yeux* » *VetLat* ; « *je lève mon visage et
mes yeux* » *S*.

---

a) Cette phrase (et **6** 15) est un réemploi d'un des refrains de l'histoire
de Joseph (Gn **37** 35 ; **42** 38 ; **44** 29, 31).
b) Daniel priait aussi dans la chambre haute qui avait des fenêtres
ouvertes du côté de Jérusalem (Dn **6** 11), et c'est sans doute cette orienta-
tion qui donne sa portée au détail (cf. 1 R **8** 44, 48 ; Ps **5** 8 ; **28** 2 ; **134** 2 ;
138 2)
c) Cf. **3** 6.

Je suis la fille unique de mon père,
il n'a pas d'autre enfant pour héritier,
il n'a pas de frère auprès de lui,
il ne lui reste aucun parent,
à qui je doive me réserver.

J'ai perdu déjà sept maris,
pourquoi devrai-je vivre encore ?
S'il te déplaît de me faire mourir,
regarde-moi avec pitié,
je ne veux plus m'entendre outrager[a] !

24   [16] Cette fois-ci, leur prière, à l'un et à l'autre, fut agréée
25 devant la Gloire de Dieu, [17] et Raphaël[b] fut envoyé pour
les guérir tous les deux. Il devait enlever les taches blanches des yeux de Tobit, pour qu'il voie de ses yeux la
lumière de Dieu; et il devait donner Sarra, fille de Ragouël,
en épouse à Tobie, fils de Tobit, et la dégager d'Asmodée,
le pire des démons. Car c'est à Tobie qu'elle revenait de
droit, avant tous les autres prétendants[c]. A ce moment-là,

---

15. « *je ne veux plus m'entendre outrager* » B *VetLat Syr ;* « *entends mon
outrage S.*

---

a) La fin de la prière est assez différente dans la Vulg : « [18] Si j'ai consenti
à prendre mari, ce ne fut pas par passion, mais dans ta crainte. [19] En ce cas,
ou bien moi je n'ai pas été digne d'eux, ou bien eux peut-être n'ont-ils pas
été dignes de moi. Ou alors, serait-ce que tu m'aurais réservée à un autre
mari ? [20] Ton conseil n'est pas à la mesure de l'homme, [21] mais quiconque
te révère sait que s'il a été dans l'épreuve, il sera couronné; s'il a été dans
la tribulation, il sera délivré; s'il a passé par la correction, il sera admis à
la miséricorde. [22] Car tu ne prends pas plaisir à notre perte, mais, après la
tempête, tu amènes le calme et, après les pleurs et les larmes, tu répands
l'allégresse... »
b) Raphaël, l'ange protecteur envoyé à Tobit et à Sarra, a d'abord été
devant Dieu, **12** 12, 15, l'intercesseur de leur prière. Cf. **5** 4 et la note.
c) Voir **4** 12-13; **6** 12 et la note.

Tobit rentrait de la cour dans la maison ; et Sarra, fille de
Ragouël, de son côté, était en train de descendre de la
chambre.

IV. *TOBIE*

4. ¹ Ce jour-là, Tobit pensa à l'argent qu'il avait déposé
chez Gabaël, à Rhagès de Médie, ² et il se dit : « J'en suis
venu à demander la mort, je ferais bien d'appeler mon fils
Tobie, pour lui parler de cette somme, avant de mourir. » ³ Il fit venir son fils Tobie auprès de lui, et parla
ainsi :

« Quand je mourrai, fais-moi un enterrement conve-
nable. Honore ta mère, et ne la délaisse en aucun jour de
ta vie. Fais ce qui lui plaît, et ne lui fournis aucun sujet
5 de tristesse. ⁴ Souviens-toi, mon enfant, de tant de dan-
gers qu'elle a courus pour toi, quand tu étais dans son
sein*a*. Et quand elle mourra, enterre-la auprès de moi, dans
la même tombe.

6   ⁵ « Mon enfant, sois tous les jours fidèle au Seigneur.
N'aie pas la volonté de pécher, ni de transgresser ses lois.
Fais de bonnes œuvres tous les jours de ta vie, et ne suis
pas les sentiers de l'injustice. ⁶ Car, si tu agis dans la vérité*b*,
tu réussiras dans toutes tes actions, comme tous ceux qui
pratiquent la justice.

7   ⁷ « Prends sur tes biens pour faire l'aumône*c*. Ne
détourne jamais ton visage d'un pauvre*d*, et Dieu ne détour-

---

4 3. « *Quand je mourrai* » B *VetLat Syr ; omis par* S.
6. « *si tu agis* » B *VetLat Syr ; « ceux qui agissent* » S. — *De* 4 6 *à* 4 19,
lacune dans S. *Le texte est restitué d'après VetLat, en tenant compte de B et de Syr.*

---

a) Cf. Ex **20** 12 ; Pr **23** 22 ; Si **7** 27 ; et Sagesse d'Ani, 37.
b) Litt. « si tu fais la vérité ». Cf. **13** 6.
c) On rapprochera Tb **4** 7-11 de Si **29** 8-13.
d) Cf. Pr **19** 17 ; Si **4** 1-6 ; Dt **15** 7-8, 11 et 1 Jn **3** 17.

nera pas le sien de toi. ⁸ Mesure ton aumône à ton abon-
⁹ dance : si tu as beaucoup, donne davantage; si tu as peu,
¹⁰ donne moins, mais n'hésite pas à faire l'aumône. ⁹ C'est te
¹¹ constituer un beau trésor*a* pour le jour du besoin. ¹⁰ Car
l'aumône délivre de la mort, et elle empêche d'aller dans
¹² les ténèbres*b*. ¹¹ L'aumône est une offrande de valeur, pour
tous ceux qui la font en présence du Très Haut.

¹³   ¹² « Garde-toi, mon enfant, de toute inconduite. Choi-
sis une femme du sang de tes pères*c*. Ne prends pas une
femme étrangère à la tribu de ton père, parce que nous
sommes les fils des prophètes. Souviens-toi de Noé,
d'Abraham, d'Isaac et de Jacob, nos pères dès le com-
mencement*d*. Ils ont tous pris une femme dans leur parenté,
et ils ont été bénis dans leurs enfants, et leur race aura la
terre en héritage. ¹³ Toi aussi, mon enfant, préfère tes
frères, n'aie pas le cœur de mépriser tes frères, les fils et
les filles de ton peuple, et prends ta femme parmi eux.
¹⁴ Parce que l'orgueil entraîne la ruine, et beaucoup d'inquié-
tude; l'oisiveté amène la pauvreté et la pénurie, car la
mère de la famine, c'est l'oisiveté.

¹⁵   ¹⁴ « Ne fais pas attendre au lendemain le salaire de ceux
qui travaillent pour toi, mais paie-le tout de suite*e*. Si tu
sers Dieu, tu seras récompensé. Sois vigilant, mon fils,
dans toutes tes œuvres, et bien élevé dans toute ta con-
¹⁶ duite. ¹⁵ Ne fais à personne ce que tu n'aimerais pas subir*f*.
Ne bois pas de vin jusqu'à l'ivresse, et n'aie pas la débau-
che pour compagne de ta route.

---

a) Cf. Mt **6** 20 p; 1 Tm **6** 19.
b) Cf. Si **29** 12; **3** 30.
c) Cf. Gn **24** 3-4; **28** 1-2; Jg **14** 3.
d) Les exemples des patriarches renvoient à Gn **11** 31 (Abraham); **25**
20 (Isaac); **28** 2; **29** 15-30 (Jacob). La Genèse ne renseigne pas sur la
femme de Noé; mais le même trait se trouve dans Jubilés, **4** 33.
e) Cf. Lv **19** 13; Dt **24** 15.
f) Cf. Ahikar, **2** 88 (arm.) (Charles, *Apocr.*, II, 739); Mt **7** 12; Lc **6** 31.

17   16 « Donne de ton pain à ceux qui ont faim, et de tes
habits à ceux qui sont nus*a*. De tout ce que tu as en abondance, prends pour faire l'aumône; et quand tu fais
18 l'aumône, n'aie pas de regrets dans les yeux*b*. 17 Sois prodigue de pain et de vin sur le tombeau des justes, mais
non pour le pécheur*c*.

19   18 « Prends l'avis de toute personne sage, et ne méprise
20 pas un conseil profitable. 19 En toute circonstance, bénis
le Seigneur Dieu, demande-lui de diriger tes voies, et de
faire aboutir tes sentiers et tes projets. Car la sagesse n'est
pas donnée à toute nation*d*, c'est le Seigneur qui donne
tout bien. A son gré, il élève, ou il abaisse jusqu'au fond
du séjour des morts*e*. Et maintenant, mon enfant, rap-
pelle-toi ces commandements, et ne les laisse pas s'effacer
de ton cœur.

21   20 « Maintenant, mon enfant, je t'informe que j'ai
déposé dix talents d'argent chez Gabaël, fils de Gabri, à
23 Rhagès de Médie. 21 N'aie pas peur, mon enfant, si nous
sommes devenus pauvres. Tu as une grande richesse, si
tu crains Dieu*f*, si tu évites toute espèce de péché, et si tu
fais ce qui plaît au Seigneur ton Dieu. »

---

19. « *c'est le Seigneur* » : reprise de S.
20. « *Rhagès* » B *VetLat* ; « *Argois* » S.

---

a) Cf. Is **58** 7; Mt **25** 35-36.
b) Cf. Dt **15** 10; 2 Co **9** 7.
c) Le précepte vient d'Ahikar, **2** 10 (syr.); **2** 13 (arabe); **2** 7 (arm.)
(Charles, *Apocr.*, II, 730 et s). Tobit, toutefois, semble conseiller à son fils,
non de faire une offrande aux morts (sur leur tombe), — usage réprouvé
par la Loi (Dt **26** 14) et souvent pris comme exemple d'actions vaines
(Ba **6** 26; Si **30** 18), — mais de faire l'aumône en leur honneur.
d) Cf. Dt **4** 6-7.
e) Cf. **13** 2; 1 S **2** 7.
f) Cf. 1 Tm **6** 6-8.

V. *LE COMPAGNON*

5. ¹ Alors Tobie répondit à son père Tobit : « Je ferai, père, tout ce que tu m'as commandé. ² Seulement, comment faire pour lui reprendre ce dépôt ? Lui ne me connaît pas, et moi, je ne le connais pas non plus. Quel signe de reconnaissance vais-je lui donner, pour qu'il me croie et qu'il me remette l'argent ? De plus, je ne sais pas les routes à prendre pour ce voyage en Médie. » ³ Alors Tobit répondit à son fils Tobie : « Nous avons échangé nos signatures sur un billet, et je l'ai coupé en deux pour que nous en ayons chacun la moitié. J'ai pris l'une, et j'ai mis l'autre avec l'argent. Dire que cela fait vingt ans que j'ai mis cet
⁴ argent en dépôt ! Maintenant, mon enfant, cherche-toi quelqu'un de sérieux pour compagnon de voyage, il sera à nos frais jusqu'à ton retour; et puis va toucher cet argent chez Gabaël. »

⁵   ⁴ Tobie sortit, en quête d'un bon guide capable de venir avec lui, en Médie. Dehors, il trouva Raphaël,
⁶ l'ange*ᵃ*, debout face à lui (sans se douter que c'était un
⁷ ange de Dieu). ⁵ Il lui dit : « D'où es-tu, mon ami ? » L'ange

---

5 3. « *J'ai pris l'une* » *VetLat ; omis par S.*

a) Mis à part « l'Ange de Yahvé » ou « l'Ange de Dieu » qui, dans les textes anciens, désigne l'apparence visible de Dieu, cf. Gn **16** 7, etc., les anges sont des créatures distinctes de Dieu, les membres de sa cour céleste (appelés « fils de Dieu », « saints », « armée du ciel ») : 1 R **22** 19; Ps **29** 1; **148** 2; Ne **9** 6. Le prologue de Job évoque leur assemblée (Jb **1** 6; **2** 1), d'où partent les messagers (c'est le sens du mot « ange ») que Dieu envoie sur terre. Ce sont tantôt des anges de destruction (cf Ex **12** 23; 2 S **24** 16 s; 2 R **19** 35; Ez **9** 1; Ps **78** 49), tantôt des anges gardiens des nations et des individus (cf. Ex **23** 20; **33** 2; Jos **5** 14; Ps **34** 8; **91** 11; Dn **10** 13 s, etc.). Raphaël (Tb **3** 17), l'un de ces anges gardiens, est envoyé comme guide de Tobie (cf. Gn **24** 7). La doctrine des Anges se développera dans le Judaïsme et dans le N. T.

répondit : « Je suis l'un des Israélites tes frères, je suis venu chercher du travail par là. » Tobie lui dit : « Sais-tu la

8 route pour aller en Médie ? » ⁶ L'autre répondit : « Bien sûr ! J'y ai été plusieurs fois, je connais tous les chemins par cœur. Je suis allé fréquemment en Médie, j'ai été reçu chez Gabaël, l'un de nos frères qui habite à Rhagès de Médie. Il faut bien deux jours de marche normale, d'Ecbatane à Rhagès; Rhagès est située dans la montagne, et

9 Ecbatane est au milieu de la plaine[a]. » ⁷ Tobie lui dit : « Attends-moi, mon ami, que j'aille prévenir mon père : j'ai besoin que tu viennes avec moi, je te paierai tes journées. » ⁸ L'autre répondit : « Bien, j'attends. Seulement ne sois pas long. »

10   ⁹ Tobie alla prévenir son père qu'il avait trouvé quelqu'un de leurs frères israélites. Et le père dit : « Présente-le moi, que je m'informe de sa famille et de sa tribu. Il faut voir si l'on peut compter sur lui pour t'accompagner, mon enfant. » Tobie sortit donc l'appeler : « Mon ami, dit-il, mon père te demande. »

11   ¹⁰ L'ange entra dans la maison. Tobit salua le premier,
12 et l'autre lui répondit par des souhaits de bonheur. Tobit reprit : « Puis-je encore avoir du bonheur ? Je suis un aveugle, je ne vois plus l'éclat du ciel, je suis plongé dans l'obscurité, comme les morts qui ne contemplent plus la

---

6. « *à Rhagès de Médie* » *VetLat ;* « *à Ecbatane de Médie* » *S.* — « *d'Ecbatane à Rhagès* » *VetLat ;* « *d'Ecbatane à Garras* » *S.*

---

a) Géographie peu exacte. Ecbatane, actuellement Hamadan, capitale de la Médie, cf. Esd **6** 2; Jdt **1** 1-4; 2 M **9** 3; Strabon, XI, 523; Hérodote, I, 98 et s. Rhagès, actuellement Raï, près de Téhéran, cf. Jdt **1**, 6; Strabon, XI, 3, 6. Entre ces deux villes, il y a en fait 300 km. L'altitude de Téhéran est de 1.132 m.; celle de Hamadan, 2.010 m. Ces données ne correspondent pas au récit, au moins dans la teneur des versions. Mais l'auteur ne se soucie pas de précision : il veut seulement situer son récit dans une région lointaine. Voir l'Introduction, pp. 12-13.

lumière. Je suis un enterré vivant, j'entends la voix des
13 gens sans les voir. » L'ange lui dit : « Aie confiance, Dieu
14 ne tardera pas à te guérir. Aie confiance ! » Tobit lui dit :
« Mon fils Tobie désire aller en Médie. Veux-tu te joindre
à lui comme guide ? Frère, je te paierai. » Il répondit : « Je
veux bien l'accompagner, je sais tous les chemins, je suis
souvent allé en Médie, j'en ai traversé toutes les plaines
16 et les montagnes, et j'en connais toutes les pistes. » ¹¹ Tobit
dit : « Frère, de quelle famille et de quelle tribu es-tu ?
17 Veux-tu me l'indiquer, frère ? » — ¹² « Que peut te faire
ma tribu ? » — « Je veux savoir pour de bon de qui tu es
18 fils et quel est ton nom. » — ¹³ « Je suis Azarias, fils d'Ana-
19 nias le grand, l'un de tes frères. » — ¹⁴ « Sois le bienvenu,
salut, frère ! Ne te froisse pas si j'ai désiré connaître ta
vraie famille : il se trouve que tu es mon parent, de belle
et bonne lignée. Je connais Ananias et Nathân, les deux
fils de Séméias le grand. Ils venaient avec moi à Jérusalem,
nous y avons adoré ensemble, et ils n'ont pas quitté la
bonne route. Tes frères sont des hommes de bien, tu es
de bonne souche : sois le bienvenu ! »

¹⁵ Il poursuivit : « Je t'engage pour une drachme par
jour, avec ton entretien, comme à mon fils. Voyage donc
avec mon fils, ¹⁶ et je dépasserai le prix convenu. » L'ange
20 répondit : « Je ferai le voyage avec lui. Ne crains rien.
Notre départ se passera bien, et notre retour aussi, parce
que la route est sûre. » ¹⁷ Tobit lui dit : « Sois béni, frère ! »
Puis il s'adressa à son fils : « Mon enfant, dit-il, prépare
21 ce qu'il te faut pour le voyage, et pars avec ton frère. Que
le Dieu qui est dans les cieux vous protège là-bas, et qu'il
vous ramène sains et saufs auprès de moi ! Que son ange
vous accompagne de sa protection[a], mon enfant ! »

---

a) Cf. Gn **24** 7, 40; Ex **23** 20.

22   Tobie sortit pour se mettre ~~en~~ ~~rou~~te, et il embrassa son
23 père et sa mère. Tobit lui dit : « Bon voyage ! » [18] Sa mère
     pleura, et elle dit à Tobit : « Pourquoi as-tu décidé le
     départ de mon enfant ? N'est-ce pas lui le bâton de notre
24 main, lui qui va et vient devant nous ? [19] J'espère que
     l'argent ne passe pas avant tout, mais qu'il ne compte pas
25 à côté de notre enfant[a]. [20] Le mode de vie que Dieu nous
26 avait donné nous suffisait bien. » [21] Il lui dit : « Ne te fais
     pas des idées ! Notre enfant ira bien en partant, il ira
     encore bien en rentrant à la maison[b]. Le jour où il te
     reviendra, tes yeux verront qu'il va toujours très bien.
     Ne te fais pas des idées, n'aie pas d'inquiétude pour eux,
27 ma sœur[c]. [22] Un bon ange l'accompagnera, il fera bon
28 voyage, et il reviendra en bien bonne santé ! » **6.** [1] Et
     elle cessa de pleurer.

VI. *LE POISSON*

6.   [1]   [2] L'enfant partit avec l'ange, et le chien[d] suivit derrière.
     Ils marchèrent tous les deux, et quand vint le premier

---

19. « *l'argent* » corr.; « *l'argent à l'argent* » B S.

a) Ce v. déroute les traducteurs. Voici d'autres tentatives : *a*) « Que
l'argent (de là-bas) ne s'ajoute pas à l'argent (d'ici), mais qu'il soit la ran-
çon de notre enfant. » *b*) (avec la correction de Grotius) : « Que l'argent
ne passe pas avant le fils, mais qu'il soit sans valeur à côté de notre enfant. »
c) (avec la correction de Ilgen) : « Que l'argent ne soit pas la première
chose à convoiter, mais qu'il soit sans valeur auprès de notre enfant. »
Notre traduction s'inspire de celle des humanistes de la Renaissance. Le
contexte et le sens général suggèrent l'idée : que l'argent ne passe pas avant
l'enfant.

b) Cf. Jubilés, **27** 14-17.

c) Même nom donné à l'épouse ou à la fiancée en **8** 4, 7, 21 et en Ct **4** 9 s;
5 1, 2; cf. **8** 1.

d) La représentation du chien ami et familier de l'homme tranche sur
l'habitude littéraire biblique. Ce trait original situe le récit à l'étranger.
A rapprocher d'un proverbe d'Ahikar : « La queue du chien lui rapporte
du pain, et sa gueule des coups » (syr., **2**, 38; Charles, *Apocr.*, II, 734).

² soir, ils campèrent le long du Tigre. ³ L'enfant descendit
au fleuve se laver les pieds, quand un gros poisson sauta
³ ⁴ de l'eau, et faillit lui avaler le pied. Le garçon cria, ⁴ et
l'ange lui dit : « Attrape le poisson, et ne le lâche pas ! »
Le garçon vint à bout du poisson, et le tira sur la rive.
⁵ L'ange lui dit : « Ouvre-le, enlève-lui le fiel, le cœur et
le foie; mets-les à part, et jette les entrailles, parce que le
fiel, le cœur et le foie font des remèdes utiles. » ⁶ Le jeune
homme ouvrit le poisson, préleva le fiel, le cœur et le foie.
Il fit frire un peu de poisson pour son repas, et il en garda
pour le saler. Ils marchèrent ensuite tous deux ensemble
jusqu'auprès de la Médie.

⁷ Alors le garçon posa à l'ange cette question : « Frère
Azarias, quel remède y a-t-il donc dans le cœur, le foie et
le fiel de poisson ? » ⁸ Il répondit : « On brûle le cœur et
le foie de poisson, et leur fumée s'emploie dans le cas d'un
homme, ou d'une femme, que tourmente un démon ou
un esprit malin : toute espèce de malaise disparaît défi-
nitivement sans laisser aucune trace[a]. ⁹ Quant au fiel, il
sert d'onguent pour les yeux, quand on a des taches
blanches sur l'œil : il n'y a plus qu'à souffler sur les taches
pour les guérir. »

¹⁰ Ils pénétrèrent en Médie, ils étaient déjà rendus près
d'Ecbatane, ¹¹ quand Raphaël dit au jeune homme : « Frère
Tobie ! » Il répondit : « Eh bien ? » L'ange reprit : « Ce
soir, nous devons loger chez Ragouël, c'est un parent à
toi. Il a une fille du nom de Sarra, ¹² mais, à part Sarra, il

----

a) La thérapeutique est assortie aux idées sur la maladie. Il faut chasser
le démon parasite par des fumigations nauséabondes. L'Égypte fournirait
des parallèles. On cite des recettes arabes, traitant le leucôma par le fiel
et la fiente de crocodile. L'empirisme des traités de médecine antique
recourt au fiel de poisson pour le collyre des yeux (Pline, *Hist. Nat.*,
XXXII, 24; Gallien, *Fac. simpl. med.*, X, 2; Marcellus, *Medic. art. princip.*,
277).

n'a ni garçon ni fille. Or c'est toi son plus proche parent, elle te revient par priorité[a], et tu peux prétendre à l'héritage de son père. C'est une enfant sérieuse, courageuse, très gentille, et son père l'aime bien[b]. [13] Tu as le droit de la prendre. Écoute-moi, frère, je parlerai de la jeune fille à son père, dès ce soir, pour te la retenir comme fiancée; et quand nous reviendrons de Rhagès, nous ferons le mariage. Je certifie que Ragouël n'a absolument pas le droit de te la refuser, ou de la fiancer à un autre. Ce serait encourir la mort, d'après les termes du livre de Moïse, du moment qu'il saurait que la parenté te donne avant tout autre le droit de prendre sa fille. Alors, écoute-moi, frère. Dès ce soir, nous parlons de la jeune fille, et nous faisons la demande en mariage. A notre retour de Rhagès, nous la prendrons, pour l'emmener avec nous chez toi. »

[14] Tobie répondit à Raphaël : « Frère Azarias, je me suis laissé dire qu'elle a déjà été donnée sept fois en mariage, et que, chaque fois, son mari est mort dans la chambre des noces. Il mourait le soir où il entrait dans sa chambre, et j'ai entendu des gens dire que c'était un démon qui les tuait, [15] si bien que j'ai un peu peur. Elle, il ne lui fait rien, parce qu'il l'aime; mais dès que quelqu'un veut s'en approcher, il le tue. Je suis le seul fils de mon père, et je ne tiens pas à mourir, je ne veux pas causer à mon père et à ma mère un chagrin qui les conduirait

---

6 12. « *l'aime bien* » *VetLat* ; « *est beau* » *S*.
  13. « *Rhagès* » (1°) *VetLat* ; « *Ragouël* » *S*.
  15. « *parce qu'il l'aime* » *B VetLat* ; *omis par S*.

---

a) Selon l'usage patriarcal du mariage à l'intérieur du clan, cf. **4** 12-13 et le récit du mariage d'Isaac, Gn **24**. Voir l'Introduction, p. 16.
b) Cette proposition, gardée par VetLat et deux minuscules grecs (et le texte fautif de S), est un rappel de Gn **44** 20, sur Benjamin.

au tombeau*ᵃ : ils n'ont pas d'autre fils pour les enterrer. »
¹⁶ Il lui ditᵇ : « Oublieras-tu les avis de ton pèreᶜ ? Il t'a
pourtant recommandé de prendre une femme de la maison de ton père. Alors, écoute-moi, frère. Ne tiens pas
compte de ce démon, et prends-la. Je te garantis que, dès
ce soir, elle te sera donnée pour femme. ¹⁷ Seulement,
quand tu seras entré dans la chambre, prends le foie et
le cœur du poisson, mets-en un peu sur les braises de
l'encens. L'odeur se répandra, ¹⁸ le démon la respirera,
il s'enfuira, et il n'y a pas de danger qu'on le reprenne
autour de la jeune fille. Puis, au moment de vous unir,
levez-vous d'abord tous les deux pour prier. Demandez
au Seigneur du Ciel de vous accorder sa grâce et sa protection. N'aie pas peur, elle t'a été destinée dès l'origineᵈ,
c'est à toi de la sauver. Elle te suivra, et je gage qu'elle
te donnera des enfants qui te seront comme des frères.
N'hésite pas. » Et quand Tobie entendit parler Raphaël,
qu'il sut que Sarra était sa sœur, parente de la famille de
son père, il l'aima, au point de ne plus pouvoir en déta-
cher son cœur.

---

a) Cf. **3** 10 et la note.
b) La fin du dialogue se présente autrement, dans la Vulg : « ¹⁶ Alors
l'ange lui dit : Écoute, je vais te montrer ceux que peut vaincre le démon.
¹⁷ Ceux qui, lors de leur mariage, bannissent Dieu de leur intention et
s'adonnent à leurs instincts, au point de ne pas avoir plus de raison que
cheval et mulet (Ps **32** 9; cf. Rm **1** 21-26), le démon est plus fort que
ceux-là. ¹⁸ Mais toi, quand tu l'épouseras, passe trois jours dans la conti-
nence, à ne t'occuper que de prier avec elle. ¹⁹ La première nuit, le démon
sera chassé par la fumée du foie de poisson. ²⁰ La seconde nuit, tu seras
admis à la réunion des saints patriarches. ²¹ La troisième nuit, tu obtien-
dras la bénédiction, pour qu'il vous naisse des enfants sains. ²² Après la
troisième nuit, dans la crainte du Seigneur, tu prendras la vierge, moins
inspiré par l'instinct que par l'amour des enfants, afin d'obtenir pour tes
fils la bénédiction de la race d'Abraham. »
c) Cf. **4** 12-13.
d) « Destinée » (« préparée » B) : cf. Gn **24** 14, 44.

VII. *RAGOUËL*

7. ¹ A l'entrée d'Ecbatane, Tobie dit : « Frère Azarias, mène-moi tout droit chez notre frère Ragouël. » Il le
conduisit à la maison de Ragouël, qu'ils trouvèrent assis
à la porte de la cour. Ils le saluèrent les premiers, et il
répondit : « Je vous salue bien, frères, vous êtes les bien-
venus ! » Et il les fit entrer dans sa maison. ² Il dit à sa
femme Edna : « Que ce jeune homme ressemble donc à
mon frère Tobit ! » ³ Edna leur demanda d'où ils étaient,
et ils lui dirent : « Nous sommes des fils de Nephtali
déportés à Ninive. » — ⁴ « Connaissez-vous notre frère
Tobit ? » — « Oui. » — « Comment va-t-il ? » — ⁵ « Il est
toujours en vie, et il se porte bien*ᵃ*. » Et Tobie ajouta :
« C'est mon père. » ⁶ D'un bond, Ragouël fut debout, il
l'embrassa, et il pleura*ᵇ*. ⁷ Puis il parla, et lui dit : « Béni
sois-tu, mon enfant ! Tu es le fils d'un père excellent.
Quel malheur qu'un homme si juste et si bienfaisant soit
devenu aveugle ! » Il tomba au cou de son frère Tobie,
et il pleura. ⁸ Et sa femme Edna pleura sur lui, et puis
leur fille Sarra aussi. ⁹ Et il tua un mouton du troupeau,
et on leur fit une réception chaleureuse.

On se lava, on se baigna, on se mit à table. Alors Tobie
dit à Raphaël : « Frère Azarias, si tu demandais à Ragouël
de me donner ma sœur Sarra ? » ¹⁰ Ragouël surprit ces

---

7 2. « *Tobit* » *VetLat* ; « *Tobie* » *S*.

---

a) Ce dialogue reprend les questions de Jacob aux bergers de Laban
(Gn **29** 4-6) et celles de Joseph à ses frères (Gn **43** 27-30). — Notre traduction remplace par la ponctuation plusieurs : « et il dit ».
b) Cf. Gn **33** 4; **45** 14; Lc **15** 20.

paroles, et dit au jeune homme : « Mange et bois, ne gâte
pas ta soirée, parce que personne n'a le droit de prendre
ma fille Sarra, si ce n'est toi, mon frère. Aussi bien ne
suis-je pas libre, moi non plus, de la donner à un autre,
puisque tu es son plus proche parent. Maintenant, mon
petit, je vais te parler franchement. [11] J'ai tenté sept fois[a]
de lui trouver un mari parmi nos frères, et tous sont morts,
le premier soir, quand ils entraient dans sa chambre. Pour
le moment, mon enfant, mange et bois, le Seigneur vous
accordera sa grâce et sa paix. » Et Tobie de déclarer :
« Je ne veux pas entendre parler de boire et de manger,
tant que tu n'as pas pris de décision vis-à-vis de moi[b]. »
Ragouël répondit[c] : « Soit ! Puisque, aux termes de la loi
de Moïse, elle t'est donnée, c'est le Ciel qui décrète qu'on
te la donne. Je te confie donc ta sœur. Désormais tu es son
frère, et elle est ta sœur. Elle t'est donnée à partir d'aujourd'hui pour toujours. Le Seigneur du Ciel vous sera
favorable ce soir, mon enfant, et vous accordera sa grâce
et sa paix. » [12] Ragouël fit venir sa fille Sarra, il lui prit la

---

11. « *sa grâce et sa paix* » (1°) *restitué d'après la fin du v.*

---

a) On a pu chercher un souvenir du cas de Sarra dans la question des
Sadducéens à Jésus sur les sept frères qui épousèrent la même femme
(Mt **22** 23-28; Mc **12** 18-23; Lc **20** 27-33).
b) On reconnaît la phrase d'Éliézer (Gn **24** 33). De même, le v. 12
reprend Gn **24** 50, 51; et le v. 14, Gn **24** 54.
c) La rédaction de la Vulg est différente : à la demande que présente
Tobie (v. 10), Ragouël hoche d'abord la tête sans répondre (v. 11), et ne
cède que sur les instances de Raphaël (v. 12) : « ... [14] ' Je crois, dit-il, que si
Dieu vous fait venir chez moi, c'est pour qu'elle ait un époux de sa parenté,
selon la loi de Moïse. Aussi ne doute plus que je te la donne'. [15] Et prenant
la main droite de sa fille, il la mit dans la main droite de Tobie, en disant :
' Que le Dieu d'Abraham, le Dieu d'Isaac et le Dieu de Jacob soit avec
vous ! Qu'il vous unisse lui-même et qu'il vous comble de sa bénédiction !' » Cette formule a inspiré la bénédiction liturgique des époux dans
la messe *pro sponso et sponsa*.

main, et la remit à Tobie avec ces paroles : « Je te la confie, c'est la loi et la décision écrite dans le livre de Moïse
qui te l'attribuent pour femme. Prends-la, emmène-la
chez ton père, en bonne conscience. Que le Dieu du Ciel
vous donne de faire en paix un bon voyage ! » [13] Puis il
s'adressa à la mère, et lui dit d'aller chercher une feuille
16 pour écrire[a]. Il rédigea le contrat de mariage, comme quoi
il donnait à Tobie sa fille pour épouse, en application de
l'article de la loi de Moïse[b].

17   [14] Après quoi, on se mit à manger et à boire. [15] Ragouël
appela sa femme Edna, et lui dit : « Ma sœur, prépare la
seconde chambre, où tu la conduiras. » [16] Elle alla faire le
19 lit de la chambre comme il lui avait dit, et elle y mena sa
20 fille. Elle pleura sur elle, puis elle essuya ses larmes, et
dit : « Aie confiance, ma fille ! Que le Seigneur du Ciel
change ton chagrin en joie ! Aie confiance, ma fille ! »
Et elle sortit.

VIII. *LA TOMBE*

8.   [1] Quand on eut fini de boire et de manger, on parla
d'aller se coucher, et l'on conduisit le jeune homme depuis
la salle du repas jusque dans la chambre. [2] Tobie se souvint
des conseils de Raphaël, il prit son sac, il en tira le cœur
et le foie du poisson, et il en mit sur les braises de l'encens.

---

   a) Le Syr omet toute mention du contrat écrit, tandis que B et VetLat
y ajoutent la mention d'un sceau.
   b) Cette loi (voir **6** 12 et la note, et l'Introd., p. 16) avait été conçue
pour le peuple établi en Palestine, et son principe était lié au partage du
sol de Canaan. Elle perdait un peu de sa raison d'être dans la dispersion;
il en restait l'idée de garder les biens de la famille dans la parenté. S'y
conformer représentait un test de fidélité au droit ancestral, une volonté
de maintenir l'originalité d'Israël au sein des nations.

³ L'odeur du poisson incommoda le démon, qui s'enfuit par les airs*ᵃ* jusqu'en Égypte. Raphaël l'y poursuivit, l'entrava et le garrotta sur-le-champ*ᵇ*.

⁴ Cependant les parents étaient sortis en refermant la porte. Tobie se leva du lit, et dit à Sarra : « Debout, ma sœur ! Il faut prier tous deux*ᶜ*, et recourir à notre Seigneur,
⁶ pour obtenir sa grâce et sa protection. » ⁵ Elle se leva et
⁷ ils se mirent à prier pour obtenir d'être protégés, et il commença ainsi :

> Tu es béni, Dieu de nos pères*ᵈ*,
> et ton Nom est béni
> dans tous les siècles des siècles !
> Que te bénissent les cieux,
> et toutes tes créatures
> dans tous les siècles !

8
> ⁶ C'est toi qui as créé Adam,
> c'est toi qui as créé Ève sa femme,
> pour être son secours et son appui,
> et la race humaine est née de ces deux-là.
> C'est toi qui as dit :
> *Il ne faut pas que l'homme reste seul,*
> *faisons-lui une aide semblable à lui.*

Gn **2** 18

---

a) Tel est le sens du Sinaïticus. Par un déplacement du mot ἄνω, après ἐις τα (B ἀνώτατα), les autres textes signifient : il s'enfuit vers les régions élevées d'Égypte.

b) La lutte de Raphaël et d'Asmodée peut aider à comprendre la péricope sur l'homme fort, chez qui l'on ne peut entrer sans l'avoir ligoté, dans le contexte de la controverse sur Béelzébub (Mt **12** 22-30, 43-45 ; Mc **3** 20-28 ; Lc **11** 14-25).

c) Conformément à son texte de **6** 18 s, la Vulg précise que ces prières dureront trois nuits.

d) Cf. Dn **3** 26.

⁹   ⁷ Et maintenant, ce n'est pas le plaisir
       que je cherche en prenant ma sœur,
       mais je le fais d'un cœur sincère.
       Daigne avoir pitié d'elle et de moi
       et nous mener ensemble à la vieillesse !

       ⁸ Et ils dirent de concert*a* : « Amen, amen ! » ⁹ Et ils se
couchèrent pour la nuit.

¹¹   Or Ragouël se leva, il appela les serviteurs, et ils vinrent
¹² l'aider à creuser une tombe. ¹⁰ Il avait pensé : « Pourvu
    qu'il ne meure pas ! Nous serions couverts de ridicule et
¹³ de honte. » ¹¹ Une fois la fosse achevée, Ragouël revint
¹⁴ à la maison, il appela sa femme ¹² et lui dit : « Si tu envoyais
    une servante dans la chambre voir si Tobie est en vie ?
    Parce que, s'il est mort, on l'enterrerait sans que per-
¹⁵ sonne en sache rien. » ¹³ On avertit la servante, on alluma
    la lampe, on ouvrit la porte, et la servante entra. Elle
    les trouva dormant tous deux d'un profond sommeil ;
¹⁶ ¹⁴ elle ressortit, et leur dit tout bas : « Il n'est pas mort,
¹⁷ tout va bien. » ¹⁵ Ragouël bénit le Dieu du Ciel par ces
    paroles :

       Tu es béni, mon Dieu,
       par toute bénédiction pure !
       Qu'on te bénisse dans tous les siècles !

       ¹⁶ Tu es béni de m'avoir réjoui,
       ce que je redoutais n'est pas arrivé,
       mais tu nous as traités
       avec ton immense bienveillance.

---

8 15. « *Ragouël bénit* » *VetLat ;* « *Ils bénirent* » *S.*

a) Dans la Vulg, après la prière de Tobie (vv. 7-9), Sarra prend la parole
à son tour (v. 10) et invoque la miséricorde de Dieu.

¹⁹   ¹⁷ Tu es béni d'avoir eu pitié
        de ce fils unique et de cette fille unique.
        Donne-leur, Maître, ta grâce et ta protection,
        fais-les poursuivre leur vie,
        dans la joie et dans la grâce !

²⁰   ¹⁸ Et il fit combler la tombe aux serviteurs, avant le petit
        jour.
        ¹⁹ Il fit faire une fournée de pains à sa femme, il alla
        au troupeau, il prit deux bœufs et quatre moutons, il les
        recommanda à la cuisine, et l'on commença les prépara-
²³   tifs. ²⁰ Il fit venir Tobie et lui déclara : « Pendant quatorze
        jours, il n'est pas question que tu bouges d'ici[a]. Tu res-
        teras là où tu es, à manger et à boire, chez moi. Tu ren-
²⁴   dras la joie à ma fille après tous ses chagrins. ²¹ Après,
        emporte d'ici la moitié de tout ce que j'ai[b], et retourne
        sans encombre auprès de ton père. Quand nous serons
        morts, ma femme et moi, vous aurez l'autre moitié. Aie
        confiance, mon garçon ! Je suis ton père, et Edna est ta
        mère. Nous sommes tes parents, comme ceux de ta sœur,
        désormais. Aie confiance, mon enfant ! »

        _a_) Le récit suit Gn **24** 54, 55, où les parents de Rébecca insistent pour
        garder Éliézer une dizaine de jours (d'où, dans Tb Syr, on lit 10 jours, au
        lieu de 14). Peut-être y a-t-il dans les quatorze jours l'envie d'éclipser le
        festin de sept jours que Samson donna chez sa femme (Jg **14** 18).
        _b_) Dans le mariage de Sarra, on trouve beaucoup de données communes
        avec les récits des fiançailles de Rébecca (Gn **24**), de Rachel (Gn **29**), de
        Dina (Gn **34**), de la femme de Samson (Jg **14**), et de Mikal (1 S **18**). La
        différence la plus notable, dans le cas de Sarra, est l'absence de tout _mohar_
        (prix versé par le fiancé au père de sa femme, Gn **34** 12 ; 1 S **18** 28) et même
        de tout cadeau offert par le fiancé à sa belle-famille (Gn **24** 33, 53 ; **34** 12).
        Ici, le père dote sa fille. La générosité de Ragouël paraîtra d'autant mieux
        qu'on la confrontera au conseil de prudence de Si **33** 20-24.

IX. *LES NOCES*

9. ¹ Alors Tobie s'adressa à Raphaël : ² « Frère Azarias, dit-il, emmène quatre serviteurs et deux chameaux,
et pars pour Rhagès. ³ Tu iras chez Gabaël, tu lui don-
neras le reçu, et tu t'occuperas de l'argent; enfin tu l'invi-
teras à venir à mes noces avec toi. ⁴ Tu sais que mon père
doit compter les jours, et que je ne puis en perdre un seul
sans le contrarier. ⁵ Tu vois bien à quoi Ragouël s'est
⁶ engagé : je suis tenu par son serment. » Raphaël partit
donc pour Rhagès de Médie, avec les quatre serviteurs
⁷ et les deux chameaux. Ils descendirent chez Gabaël, à qui
il présenta le reçu. Il leur fit part du mariage de Tobie,
fils de Tobit, et de son invitation aux noces. Gabaël se
mit à lui compter les sacs avec leurs sceaux intacts*ᵃ*, et ils
les chargèrent sur les chameaux. ⁶ Ils partirent ensemble
⁸ de bonne heure pour la noce, et ils arrivèrent chez Ragouël,
où ils trouvèrent Tobie en train de dîner. Il se leva et le
salua, Gabaël pleura, et le bénit avec ces paroles : « Excellent fils d'un père parfait, juste et bienfaisant ! Que le
⁹ Seigneur te donne la bénédiction du Ciel, à toi, et à ta
femme, au père et à la mère de ta femme ! Béni soit Dieu
de m'avoir fait voir le portrait vivant de mon cousin
Tobit*ᵇ* ! »

---

9 5. « *sur les chameaux* » *VetLat ; omis par S.*
6. « *au père et à la mère de ta femme* » *VetLat ;* « *à ton père et à la mère
de ta femme* » *S.*

---

a) L'usage de fermer les sacs d'un sceau d'argile est ancien. On en voit
une figuration dans F. E. Newberry, *Scarabs,* 1906, p. 17. Jb **14** 17 y fait
allusion.
b) Des témoins omettent la bénédiction de Gabaël, qu'amplifie au
contraire la Vulg (vv. 9-12).

10. [1] Cependant, de jour en jour, Tobit comptait les journées que demandait le voyage, à l'aller et au retour. Le nombre fut atteint, sans que le fils eût paru. [2] Alors il pensa : « Pourvu qu'il ne soit pas retenu là-bas ! Pourvu que Gabaël ne soit pas mort ! Il n'y a peut-être eu personne pour lui donner l'argent ! » [3] Et il commença à être contrarié. [4] Sa femme Anna disait : « Mon enfant est mort ! Il n'est plus au nombre des vivants ! » Et elle se mettait à pleurer et à se lamenter sur son fils. Elle disait : [5] « Quel malheur ! Mon enfant, je t'ai laissé partir, toi, la lumière de mes yeux ! » [6] Et Tobit répondait : « Du calme, ma sœur ! Ne te fais pas des idées ! Il va bien ! Ils auront eu là-bas un contretemps. Son compagnon est quelqu'un de sérieux, et l'un de nos frères[a]. Ne te désole pas, ma sœur. Il va arriver d'un moment à l'autre. » [7] Mais elle répliquait : « Laisse-moi, n'essaie pas de me tromper. Mon enfant est mort[b]. » Et, tous les jours, elle sortait soudain, pour surveiller la route par où son fils était parti. Elle ne croyait plus personne[c]. Quand le soleil était couché, elle rentrait, pour pleurer et gémir à longueur de nuits sans pouvoir dormir.

A la fin des quatorze jours de noces[d], que Ragouël avait juré de faire en l'honneur de sa fille, Tobie vint lui dire : « Laisse-moi partir, parce que mon père et ma mère ne doivent plus penser me revoir. Aussi, je t'en prie, père, laisse-moi rentrer chez mon père, je t'ai expliqué dans quel état je l'ai laissé. » [8] Ragouël dit à Tobie : « Reste, mon fils, reste avec moi. J'enverrai des messagers à ton père Tobit donner de tes nouvelles. » [9] Tobie insista :

---

a) Jubilés, **27** 17 imite cette phrase dans les consolations que donne Isaac à Rébecca pour l'absence prolongée de Jacob.

b) Comme *supra,* v. 4, cf. Gn **44** 20; Lc **15** 20.

c) Cf. Gn **45** 26.

d) Les vv. 7-14 reprennent l'histoire de Rébecca (Gn **24** 54-61).

« Non, je te demande la liberté de retourner chez mon père. » ¹⁰ Sur-le-champ, Ragouël lui remit son épouse Sarra. Il donnait à Tobie la moitié de ses biens*[a]*, en serviteurs et servantes, en bœufs et brebis, ânes et chameaux, et en habits, argent et ustensiles. ¹¹ Il les laissait ainsi partir contents. Pour Tobie, il eut ces paroles d'adieu : « Bonne santé, mon enfant, et bon voyage ! Que le Seigneur du Ciel soit favorable, à toi et à ta femme Sarra ! J'espère
13 bien voir vos enfants avant de mourir*[b]*. » ¹² A sa fille Sarra, il dit : « Va chez ton beau-père, puisque désormais ils sont tes parents, comme ceux qui t'ont donné la vie. Va en paix, ma fille. Je compte n'entendre dire que du bien de toi, tant que je vivrai. » Il leur fit ses adieux, et il leur donna congé.

A son tour, Edna dit à Tobie : « Fils et frère très cher, qu'il plaise au Seigneur de te ramener ! Je souhaite vivre assez pour voir vos enfants, à toi et à ma fille Sarra, avant de mourir. En présence du Seigneur je confie ma fille à ta garde. Ne lui fais jamais de la peine durant ta vie. Va en paix, mon fils. Désormais je suis ta mère, et Sarra est ta sœur. Puissions-nous tous vivre heureux pareillement,
12 tous les jours de notre vie ! » Et elle les embrassa tous les deux, et elle les laissa partir bien contents.

¹³ Tobie partit satisfait de chez Ragouël. Tout joyeux, il bénissait le Seigneur du Ciel et de la terre et Roi de l'univers, de l'heureux succès de son voyage*[c]*. Il bénit ainsi Ragouël et sa femme Edna : « Puissé-je avoir le bonheur de vous honorer tous les jours de ma vie ! »

---

10 13. « *Il bénit ainsi...* » *avec VetLat mais en lisant* « *Edna* » *(B) au lieu de* « *Anna* »; *S a un texte différent.*

  a) Cf. Gn **24** 35; **30** 43.
  b) Cf. Gn **45** 28.
  c) Cf. Gn **24** 21, 40, 42, 56.

X. *LES YEUX*

11. ¹ Ils approchaient de Kasérîn*a*, en face de Ninive.
² Raphaël dit : « Tu sais dans quel état nous avons laissé
ton père, ³ prenons de l'avance sur ta femme*b*, pour aller
préparer la maison, pendant qu'elle arrive avec les autres. »
⁴ Ils marchèrent tous deux ensemble (il lui avait bien
recommandé d'emporter le fiel), et le chien les suivait*c*.

⁵ Anna était assise, à surveiller la route par où vien-
drait son fils. ⁶ Elle pressentit que c'était lui, et elle dit au
père : « Voici ton fils qui arrive avec son compagnon ! »

⁷ Raphaël dit à Tobie, avant qu'il eût rejoint son père :
« Je te garantis que les yeux de ton père vont s'ouvrir.
⁸ Tu lui appliqueras sur l'œil le fiel de poisson : la drogue
mordra, et lui tirera des yeux une petite peau blanche. Et
ton père pourra regarder et voir la lumière. »

⁹ La mère courut se jeter au cou de son fils*d* : « Maintenant, disait-elle, je puis mourir, je t'ai revu ! » Et elle
pleura. ¹⁰ Tobit se leva, il trébuchait, mais il réussit à
franchir la porte de la cour. Tobie se dirigea à sa rencontre
13 ¹¹ (il portait dans sa main le fiel de poisson). Il lui souffla

---

11 1. « *Kasérîn* » *S ;* « *Kasri* » *Syr ;* « *Charra* », « *Charaka* » *VetLat ; omis par B.*
4. « *le chien* » *VetLat B ;* « *le Seigneur* » *S (dans une rédaction corrompue).*

---

a) Site non identifié. La Vulg place le dialogue à Charan, qu'elle place
à mi-chemin entre Ecbatane et Ninive.
b) Cf. Gn **46** 28.
c) « les suivait » ; un manuscrit oncial (N), neuf minuscules, le copte et
le syriaque ont lu : « courut devant eux ». Dans le Syr, c'est le chien que
Anna voit arriver sur la route avant d'avertir Tobit. De même la Vulg
(v. 8) donne : « Le chien, qui les avait accompagnés en route, courut devant
eux et, survenant comme messager, montrait sa joie par les cajoleries de
sa queue. » C'est sans doute une réminiscence du chien Argos qui reconnaît Ulysse à son retour, en remuant de la queue et en dressant les oreilles
(*Od.*, XVII, 734).
d) Cf. Gn **33** 4; **45** 14; **46** 29 et Lc **15** 20.

dans les yeux, et lui dit, en le tenant bien : « Aie confiance, père ! » Puis il appliqua la drogue, et la laissa quelque temps, [12] et enfin, de chaque main, il lui ôta une petite peau du coin des yeux[a]. [13] Alors son père tomba à son cou [14] et il pleura. Il s'écria : « Je te vois, mon fils, lumière de mes yeux ! » Et il dit :

[17] Béni soit Dieu !
      Béni son grand Nom !
      Bénis tous ses saints anges !
      Béni son grand Nom
      dans tous les siècles !
        [15] Parce qu'il m'avait frappé,
          et qu'il a eu pitié de moi[b],
          et que je vois mon fils Tobie !

Tobie entra dans la maison, de joie il bénissait Dieu à haute voix. Puis il mit son père au courant : son voyage a bien marché, il rapporte l'argent; il a épousé Sarra, fille de Ragouël; elle le suit de peu, elle n'est pas loin des portes de Ninive.

[16] Tobit partit à la rencontre de sa belle-fille, vers les portes de Ninive, en louant Dieu dans sa joie. Quand les gens de Ninive le virent marcher en se passant de guide, et avancer avec sa vigueur d'autrefois, ils furent émerveillés. [17] Tobit proclama devant eux que Dieu avait eu pitié de lui, et lui avait ouvert les yeux. Enfin Tobit approcha de Sarra, l'épouse de son fils Tobie, et il la bénit en ces

---

14. *D'après VetLat ; S allonge les bénédictions par dittographie.*

15. *« et qu'il a eu pitié de moi » VetLat B ; omis par S. — « à haute voix » VetLat, cf.* **13** 6; *« de tout son corps » S.*

a) A comparer le récit de la guérison de saint Paul, Ac **9** 18.
b) Cf. Dt **32** 39; Tb **13** 2.

termes : « Sois la bienvenue, ma fille ! Béni soit ton Dieu
de t'avoir fait venir chez nous, ma fille ! Béni soit ton
père, béni soit mon fils Tobie, et bénie sois-tu, ma fille !
Sois la bienvenue chez toi, dans la joie et la bénédiction !
Entre, ma fille. » Ce jour-là fut une fête pour tous les
20 Juifs de Ninive, [18] et ses cousins Ahikar et Nadab vinrent
partager la joie de Tobit[a].

XI. *RAPHAËL*

12. [1] A la fin des noces, Tobit appela son fils Tobie,
et lui dit : « Mon enfant, pense à régler ce qui est dû à
ton compagnon, tu dépasseras le prix convenu. » [2] Il
demanda : « Père, combien vais-je lui donner pour ses
services ? Même en lui laissant la moitié des biens qu'il
a rapportés avec moi, je n'y perds pas. [3] Il me ramène
sain et sauf, il a soigné ma femme, il rapporte avec moi
l'argent, et enfin il t'a guéri ! Combien lui donner encore
pour cela ? » [4] Tobit lui dit : « Il a bien mérité la moitié de
ce qu'il a rapporté. » [5] Tobie fit donc venir son compagnon,
et lui dit : « Prends la moitié de ce que tu as ramené, pour
prix de tes services, et va en paix. »

[6] Alors Raphaël les prit tous les deux à l'écart, et il leur
dit : « Bénissez Dieu, célébrez-le devant tous les vivants,
du bien qu'il vous a fait. Bénissez et chantez son Nom.
Faites connaître à tous les hommes les actions de Dieu
comme elles le méritent, et ne vous lassez pas de le remercier. [7] Il convient de garder le secret du roi, tandis qu'il

---

a) B, VetLat et Syr continuent : « Et les noces se poursuivirent dans la
joie (B VetLat Syr) sept jours (B VetLat), et on lui donna beaucoup
de présents (VetLat Syr) ». Vulg : « Et les noces se poursuivirent pendant sept jours, et tous eurent une grande joie. »

convient de révéler et de publier les œuvres de Dieu.
Remerciez-le dignement. Faites ce qui est bien, et le
malheur ne vous atteindra pas.

⁸ « Mieux vaut la prière avec le jeûne, et l'aumône avec
la justice, que la richesse avec l'iniquité. Mieux vaut pra-
tiquer l'aumône, que thésauriser de l'or ᵃ. ⁹ L'aumône
sauve de la mort ᵇ, et elle purifie de tout péché. Ceux qui
font l'aumône sont rassasiés de jours ; ¹⁰ ceux qui font le
péché et le mal se font du tort à eux-mêmes.

¹¹ « Je vais vous dire toute la vérité, sans rien vous
cacher : je vous ai déjà enseigné qu'il convient de garder
le secret du roi, tandis qu'il convient de révéler dignement
les œuvres de Dieu. ¹² Vous saurez donc que, lorsque vous
étiez en prière, toi et Sarra, c'était moi qui présentais vos
supplices devant la Gloire du Seigneur et qui les lisais ᶜ ;
et de même lorsque tu enterrais les morts. ¹³ Quand tu
n'as pas hésité à te lever, et à quitter la table, pour aller
ensevelir un mort, j'ai été envoyé pour éprouver ta foi ᵈ,

---

12 8. « *le jeûne* » *B VetLat* ; « *la vérité* » *S*.
  12. « *et qui les lisais* » *VetLat* ; *omis par S*.

---

a) Cf. **4** 7-11 ; Si **29** 8-13 ; Pr **11** 4 ; **16** 8.
b) Cf. Si **3** 30 ; Dn **4** 24.
c) Dans Ézéchiel, Zacharie, Daniel, Hénoch, l'ange devient interprète,
inspecteur, et aussi intercesseur (Za **1** 12 ; cf. Jb **33** 24). Raphaël présente
ainsi le mémoire (μνημόσυνον) des prières, le relevé des bonnes œuvres de
Tobit, devant Dieu. L'ange du centurion Corneille (Ac **10** 4) lui dira de
même que ses prières et ses aumônes sont montées en μνημόσυνον devant
Dieu. Le mot doit avoir le même sens, de relevé officiel (style de chancel-
lerie), qu'il faille, ou non, y ajouter une résonance liturgique (μνημόσυνον
traduit aussi dans les Septante le mot *azkara,* soit la part des offrandes
brûlées sur l'autel « en parfum d'apaisement », cf. Lv **2** 2). Le caractère
liturgique du rôle de l'ange sera net dans Ap **8** 3, où l'ange à l'encensoir
d'or vient devant l'autel offrir des parfums avec les prières des saints. Le
v. suivant (Ap **8** 4 : « de la main de l'ange ») ouvre la voie au *per manus
sancti angeli tui* de la prière *Supplices te rogamus* dans le Canon de la Messe.
d) Comme, d'une autre façon, Satan auprès de Job (Jb **1-2**).

¹⁴ et Dieu m'envoya*a* en même temps pour te guérir, ainsi que ta belle-fille Sarra. ¹⁵ Je suis Raphaël, l'un des sept*b* Anges qui se tiennent toujours prêts à pénétrer auprès de la Gloire du Seigneur. »

¹⁶ Ils furent remplis d'effroi tous les deux; ils se prosternèrent, et ils eurent grand'peur*c*. ¹⁷ Mais il leur dit : « Ne craignez point, la paix soit avec vous. Bénissez Dieu à jamais. ¹⁸ Pour moi, quand j'étais avec vous, ce n'est pas à moi que vous deviez ma présence, mais à la volonté de Dieu : c'est lui qu'il faut bénir au long des jours, lui qu'il faut chanter. ¹⁹ Vous avez cru me voir manger*d*, ce n'était qu'une apparence. ²⁰ Alors, bénissez le Seigneur sur la terre, et rendez grâces à Dieu. Je vais remonter*e* à Celui

---

14. « *te* (*guérir*) » *VetLat ; omis par S.*
19. *Avec VetLat; « Vous voyez que je n'ai rien mangé, et que vous avez eu une vision » S.*

---

a) Cf. **3** 17.
b) Les livres saints connaissent trois noms d'anges : Gabriel (Dn **8** 16; **9** 21; Lc **1** 19), Michel (Dn **10** 13, 21; **12** 1; 1 Th **4** 16; Jude 9; Ap **12** 7) et Raphaël (Tb **3** 17; **12** 15). Les apocryphes IV Esdr. et Hénoch complètent la liste des Sept de façon fantaisiste. Si l'on demande au mazdéisme des points de comparaison, on pensera aux Ameshaspenta, qui, à dire vrai, ne sont sept qu'en comptant le dieu suprême (Lagrange). La cour royale perse a-t-elle servi de point de départ, pour concevoir la cour divine ? Il y a bien Esd **1** 4, et surtout Est **1** 14, qui autoriseraient l'hypothèse. Il ne faut pas oublier non plus les sept lampes de Za **4** 10, qui sont les yeux de Yahvé qui parcourent la terre. Dans le N. T., on trouve un écho de Tobie dans Ap **8** 2, les sept anges qui se tiennent devant Dieu.
c) Réminiscence du récit sur l'ange de Manoah (Jg **13** 16, 20). Influence possible sur la rédaction des péricopes évangéliques sur les apparitions de Jésus (Mt **28** 2-10; Lc **24** 41-43).
d) Ils n'ont pas constaté l'abstention d'Azarias (ce que semble vouloir dire S), mais ils l'ont vu manger et boire, alors qu'en fait il ne mangeait ni ne buvait : c'était une vision qu'ils avaient vue. Le texte de B et de VetLat est plus clair, et plus cohérent avec le reste du livre. La Vulg rédige ainsi : « Moi, je me sers d'une nourriture invisible, et d'une boisson que les hommes ne peuvent voir. »
e) Cf. Jn **20** 17; **16** 5.

qui m'a envoyé. Écrivez tout ce qui est arrivé. » Et il
21 22 s'éleva. 21 Quand ils se redressèrent, il n'était plus visible.
Ils louèrent Dieu par des hymnes; ils le remercièrent
d'avoir opéré de telles merveilles : un ange de Dieu ne
leur était-il pas apparu !

XII. *SION*

13.   ¹ Et il dit[a] :

Béni[b] soit Dieu qui vit à jamais,
    car son règne dure dans tous les siècles !
² Car tour à tour il châtie et il pardonne,
    il fait descendre aux profondeurs des enfers
    et il retire de la grande Perdition[c] :
    personne n'échappe à sa main[d].
³ Célébrez-le en face des nations,
    vous, enfants d'Israël !
    Car s'il vous a dispersés parmi elles,
⁴ c'est là qu'il vous a montré sa grandeur.
    Exaltez-le en face de tous les vivants,

---

13 1. « *dure dans tous les siècles* » *VetLat* ; « *ne passe pas* » *Syr* ; *omis par S.*

---

a) Le cantique final (cf. Ex **15**; Jdt **16**) comprend deux parties. La première, vv. 1-8, est un chant d'action de grâces utilisant des motifs d'hymnes
et de psaumes du Règne; la seconde, vv. 9-17, est une adresse à Jérusalem
dans le style des prophètes : elle traduit les espérances des exilés en une
Jérusalem idéale. — La seconde partie manque en Syr, les deux, dans
l'araméen de Neubauer.
    b) Ce début (cf. **3** 11; **8** 5, 15) se trouve encore : Ps **144** 1; 1 Ch **29** 10;
Dn **3** 26; Lc **1** 68; Ep **1** 3.
    c) Cf. 1 S **2** 6; Sg **16** 13.
    d) Cf. Dt **32** 39; Sg **16** 15.

c'est lui notre Maître
et c'est lui notre Dieu
et c'est lui notre Père*a*
et il est Dieu dans tous les siècles !

⁵ S'il vous châtie pour vos iniquités,
il aura pitié de vous tous,
il vous rassemblera de toutes les nations
où vous aurez été dispersés*b*.
⁶ Si vous revenez à lui*c*,
du fond du cœur et de toute votre âme,
pour agir dans la vérité devant lui,
alors il reviendra vers vous,
et ne vous cachera plus sa face.
Regardez donc comme il vous a traités,
rendez-lui grâces à haute voix.
Bénissez le Seigneur de justice,
et exaltez le Roi des siècles*d*.

⁷   Pour moi, je le célèbre
sur ma terre d'exil,
je fais connaître sa force et sa grandeur
au peuple des pécheurs.

----

*5. « il aura pitié de vous tous, il vous rassemblera de toutes les nations » VetLat ;
« il aura pitié de vous de toutes les nations » S ; « il aura pitié de nouveau et nous
rassemblera de toutes les nations » B.*

*6. S a une lacune depuis 6ʲ (« Pour moi, je le célèbre ») jusqu'à 10ᶜ (« pour qu'en
toi son Temple »). Le texte est ainsi restitué : fin du v. 6 avec B Syr VetLat ; vv. 7
et 8 avec B et Syr.*

----

a) Cf. Is **63** 16 ; **64** 7 ; Jr **3** 4 ; Sg **14** 3 ; Si **23** 1, 4 ; Mt **6** 9.
b) Cf. Dt **30** 3.
c) Cf. Dt **30** 2.
d) Cf. 1 Tm **1** 17.

8   Pécheurs, revenez à lui,
     pratiquez la justice devant lui;
     peut-être vous sera-t-il favorable
     et vous fera-t-il miséricorde !

9   ⁷ Pour moi, j'exalte Dieu
     et mon âme se réjouit
     dans le Roi du Ciel*a*.
     Que sa grandeur ⁸ soit sur toutes les lèvres,
     et qu'on le célèbre à Jérusalem !

11   ⁹ Jérusalem*b*, cité sainte,
     Dieu te frappa pour les œuvres de tes mains
     et il aura encore pitié*c* des fils des justes.

7-8 *corrigé : on supprime « et » (B) après « et mon âme », et on lie « sa grandeur »*
au début du v. 8, *d'après l'analogie de Ps* **145** 6, 11. — *VetLat a une rédaction*
différente pour le v. 8 (*omet « Jérusalem »*).

9. *« cité sainte » VetLat ; « du Saint » B. — « te frappa » VetLat ; « te frap-*
pera » B. — « et il aura encore pitié, etc. » B ; omis par VetLat ; Syr omet tout
le second cantique, vv. 9 *s.*

---

a) Yahvé est dit le Dieu du ciel parce que le ciel est considéré comme
son séjour (1 R **8** 30; Ps **2** 4), ou son trône (Is **66** 1), ou le domaine qu'il
parcourt sur son char (Dt **33** 26; Ps **68** 34). Si l'on met à part les exemples
où ce titre est complété par celui de « et Dieu de la terre » (Gn **24** 3; **24** 7
[grec]), on le trouve à l'époque perse et grecque (Jon **1** 9; Esd **1** 2; **5** 11 s ;
6 9 s; Ps **136** 26; Dn **2** 18, 19, 37, 44; Jdt **5** 8; **6** 19; sous la forme abrégée
« le ciel », Dn **4** 23; 1 M **2** 21; **3** 18, 19, 60). L'expression « le Roi du ciel »
(qui figure encore Dn **4** 34) combine le titre de Dieu du ciel avec celui de
Roi que donnent plus souvent à Yahvé les prophètes et les Psaumes, par
un processus qui rappelle l'origine du nom de Baalshamîn (maître des
cieux), rencontré en Syrie, Phénicie, et à Palmyre. Le titre de « Roi du
ciel » donné à Dieu est une formule qui prépare l'expression de « royaume
des cieux » dans saint Matthieu.

b) Le second morceau est une adresse à Jérusalem, dans le style des
prophètes. Les espérances du judaïsme en terre d'exil ont commencé à
créer une vision idéale d'une Jérusalem transfigurée, qui fut une des plus
nobles inspiration du lyrisme. Le cantique de Tobie renouvelle la proso-
popée d'Is **60** et prépare la figuration de la Jérusalem céleste de Ap **21**.

c) Cf. Mi **7** 19.

¹² ¹⁰ Remercie dignement le Seigneur
      et bénis le Roi des siècles,
      pour qu'en toi son temple soit rebâti*ᵃ* dans la joie
      et qu'en toi il réjouisse tous les exilés,
      et qu'en toi il aime tous les malheureux,
      pour toutes les générations à venir.

¹³ ¹¹ Une vive lumière illuminera *ᵇ*
      toutes les contrées de la terre;
¹⁴   des peuples nombreux*ᶜ* viendront de loin,
      de toutes les extrémités de la terre
      séjourner près du saint Nom*ᵈ* du Seigneur Dieu,
      les mains portant des présents au Roi du Ciel*ᵉ*.
      En toi des générations de générations
      manifesteront leur allégresse,
      et le nom de l'Élue durera
      dans les générations à venir.

¹⁶ ¹²*ᶠ* Maudit soit qui t'insultera,
      maudit soit qui te détruira,
      qui renversera tes murs,
      qui abattra tes tours,
      qui brûlera tes maisons !
      Et béni éternellement qui te bâtira !

---

10. « *en toi* » *VetLat* ; « *à toi* » *S B.* — « *son Temple* » *B* ; « *ton Temple* » *S*
VetLat. — *Ici reprise de S.* — « *pour toutes* » *B VetLat* ; « *et toutes* » *S.*
11. « *du Seigneur Dieu* » *d'après B VetLat* ; « *près de ton saint Nom* » *S.*
12. « *qui te bâtira* » *VetLat* ; « *qui te craint* » *S.*

---

a) Cf. Am **9** 11; Is **44** 26, 28; Za **1** 16.
b) Cf. Is **9** 1; **49** 6; **60** 1.
c) Cf. Ps **22** 28; Mi **4** 2; Is **2** 3; Za **8** 20-22.
d) Cf. Is **18** 7.
e) Cf. Is **45** 14; **60** 15-16; Ps **72** 10.
f) Cf. Ba **4** 31 s.

17 13 Alors tu exulteras et tu te réjouiras
       sur les fils des justes,
       car ils seront tous rassemblés
       et ils béniront le Seigneur des siècles.

18 14 Bienheureux ceux qui t'aiment !
       heureux ceux qui se réjouiront de ta paix[a] !
       heureux ceux qui se seront lamentés
       sur tous tes châtiments !
       Car ils vont se réjouir en toi,
       et ils verront tout ton bonheur à l'avenir.

19 15 Mon âme bénit le Seigneur, le grand Roi,
    16 parce que Jérusalem sera rebâtie,
       et Sa maison pour tous les siècles !

20   Quel bonheur, s'il reste quelqu'un de ma race,
       pour voir ta gloire[b] et louer le Roi du Ciel !

21   Les portes de Jérusalem seront bâties
       de saphir et d'émeraude
       et tous tes murs de pierre précieuse[c];
       les tours de Jérusalem seront bâties en or
       et leurs remparts en or pur.

22 17 Les rues de Jérusalem seront pavées
       de rubis et de pierres d'Ophir;
       les portes de Jérusalem retentiront
       de cantiques d'allégresse;

---

13. « *tu exulteras* » B *VetLat* ; « *tu iras* » S.
16. *Après* « *rebâtie* » S *ajoute* « *en cité* »; *omis par* B *VetLat*.
17. « *Ophir* » *corr.*; « *Souphir* » B S (*septantisme*).

---

a) Cf. Is **66** 10; Ps **122** 6.
b) Cf. Ag **2** 9; Is **62** 1-2; Ba **5** 1.
c) Cf. Is **54** 11; **60** 17; Ap **21** 10-21.

et toutes ses maisons diront :
23   Alleluia ! Béni soit le Dieu d'Israël !
En toi l'on bénira le saint Nom,
dans les siècles des siècles !

14.   ¹ Fin des hymnes de Tobit.

XIII. *NINIVE*

²   Tobit mourut en paix à l'âge de cent douze*ᵃ* ans, et il
³ fut enterré à Ninive avec honneur. ² Il avait soixante-deux
⁴ ans quand il devint aveugle; et, depuis sa guérison, il
vécut dans l'abondance, il pratiqua l'aumône, et il conti-
nua toujours à bénir Dieu et à célébrer sa grandeur. ³ Sur
⁵ le point de mourir*ᵇ*, il fit venir son fils Tobie, et lui donna
ses instructions : « Mon fils, emmène tes enfants, ⁴ cours
en Médie, parce que je crois à la parole de Dieu que
⁶ Nahum a dite sur Ninive*ᶜ*. Tout s'accomplira, tout se
réalisera, de ce que les prophètes d'Israël, que Dieu a
envoyés, ont annoncé contre l'Assyrie et contre Ninive;
rien ne sera retranché de leurs paroles. Tout arrivera en
son temps*ᵈ*. On sera plus à l'abri en Médie qu'en Assyrie
et qu'en Babylonie. Parce que je sais et je crois, moi, que

---

14 4. « *l'Assyrie* » *VetLat ;* « *Athèr* » *S.*

---

a) Syr : « cent deux ».
b) Cf. **4** 2-3; Gn **47** 29.
c) Cf. Na **1**-3. — Au lieu de « Nahum », B a « Jonas ».
d) Le récit a fait de Tobit un contemporain de l'apogée assyrien. Les
événements qui sont annoncés par Tobit comme futurs, sont des faits
passés pour l'auteur. C'est l'artifice propre de l'apocalyptique, qui habille
l'histoire en prophétie. Mais une fois parvenue au temps réel de l'auteur,
la prophétie ne s'arrête pas et s'engage vers l'avenir messianique (« quand
les temps seront révolus », v. 5).

tout ce que Dieu a dit s'accomplira, cela sera, et il ne tombera pas un mot des prophéties.

« Nos frères qui habitent le pays d'Israël seront tous
7 recensés et déportés loin de leur belle patrie*a*. Tout le sol d'Israël sera un désert. Et Samarie et Jérusalem*b* seront un désert. Et la Maison de Dieu sera (pour un temps) désolée et brûlée*c*. ⁵ Puis de nouveau, Dieu en aura pitié, et il les ramènera au pays d'Israël*d*. Ils rebâtiront sa Maison, moins belle que la première*e*, en attendant que les temps soient révolus. Mais alors, tous revenus de leur captivité, ils rebâtiront Jérusalem*f* dans sa magnificence, et en elle la Maison de Dieu sera rebâtie, comme l'ont
8 annoncé les prophètes d'Israël*g*. ⁶ Et tous les peuples de la terre entière se convertiront, et ils craindront Dieu en vérité*h*. Tous, ils répudieront leurs faux dieux, qui les ont fait s'égarer dans l'erreur*i*. ⁷ Et ils béniront le Dieu des siècles dans la justice. Tous les Israélites, épargnés en ces jours-là, se souviendront de Dieu avec sincérité. Ils viendront se rassembler à Jérusalem, et désormais ils habiteront la terre d'Abraham en sécurité, et elle sera leur propriété*j*. Et ceux-là se réjouiront, qui aiment Dieu en vérité. Et ceux-là disparaîtront de la terre, qui accomplissent le péché et l'injustice.

10   ⁸ « Et maintenant, mes enfants, je vous en fais un devoir,
11 servez Dieu en vérité, et faites ce qui lui plaît. Imposez

---

a) Cf. Is **5** 13; Jr **9** 15; Ez **12** 15.
b) Cf. Ez **23**.
c) Cf. Is **64** 10.
d) Cf. Is **35** 8-10; Jr **31**, etc.; Ez **36** 24 s.
e) Cf. Esd **3** 12; Ag **2** 3.
f) Cf. Jr **31** 38 s.
g) Cf. Ag **2** 9; Ez **40-42**.
h) Cf. Is **18** 7; **19** 22.
i) Cf. Jr **16** 19.
j) Cf. Is **60** 4, 21; Jr **32** 37; Ez **34** 28; **36** 12; **37** 25; **39** 26.

à vos enfants l'obligation de faire la justice et l'aumône,
de se souvenir de Dieu, de bénir son Nom en tout temps,
en vérité, et de toutes leurs forces.

12   9 « Alors, toi, mon fils, quitte Ninive, ne reste pas ici.
10 Dès que tu auras enterré ta mère auprès de moi, pars
13 le jour même, quel qu'il soit, et ne demeure plus dans ce
pays, où je vois triompher sans vergogne la perfidie et
l'iniquité. Regarde, mon enfant, tout ce qu'a fait Nadab
à son père nourricier, Ahikar[a]. Ne fut-il pas réduit à descendre vivant sous la terre ? Mais Dieu a fait payer son
infamie au criminel, à la face de sa victime, parce que
Ahikar revint à la lumière, tandis que Nadab entra dans
les ténèbres éternelles, en châtiment de son dessein contre
la vie d'Ahikar. A cause de ses bonnes œuvres, Ahikar
échappa au filet mortel que lui avait tendu Nadab, et
Nadab y tomba pour sa perte. 11 Ainsi, mes enfants, voyez
où mène l'aumône, et où conduit l'iniquité, c'est-à-dire
à la mort. Mais le souffle me manque. »

Ils l'étendirent sur le lit, il mourut[b], et il fut enterré
avec honneur.

14   12 Quand sa mère mourut, Tobie l'enterra auprès de
son père[c]. Puis il partit pour la Médie, avec sa femme et
ses enfants. Il habita Ecbatane, chez Ragouël son beau-
15 père. 13 Il entoura la vieillesse de ses beaux-parents de
respect et d'attention, puis il les enterra à Ecbatane de
Médie. Tobie héritait du patrimoine de Ragouël, comme
16 de celui de son père Tobit. 14 Il vécut honoré jusqu'à l'âge

---

10. « *ses bonnes œuvres* » *corr.*; « *mes bonnes œuvres* » *S*.
12. « *et ses enfants* » *B VetLat* ; *omis par S*.

---

a) Voir l'Introduction, p. 8, note *a*.
b) B ajoute : « âgé de cent cinquante-huit ans ».
c) Cf. **4** 4; Gn **49** 31.

de cent dix-sept *a* ans. [15] Il fut témoin de la ruine de Ninive
avant de mourir. Il vit les Ninivites prisonniers et déportés
en Médie par Cyaxare, roi de Médie. Il bénit Dieu de tout
ce qu'il infligea aux Ninivites et aux Assyriens. Avant sa
mort, il put se réjouir du sort de Ninive *b*, et bénir le Seigneur Dieu dans les siècles des siècles. Amen.

---

15. « *Cyaxare* » *conj.* ; « *Ahikar* » *S VetLat;* « *Nabuchodonosor et Assuérus* » B.

---

a) B : « cent vingt-sept » ; Syr : « cent sept ».
b) Cf. Na **1-3**. Ce trait nous rappelle que notre livre est bien de l'A. T.
Comme les paroles du Ps **137** 8, comme bien des menaces des prophètes
contre les ennemis d'Israël, il n'est pas tolérable tel quel à la conscience
chrétienne. On en retiendra la satisfaction de voir triompher la justice
divine, à l'exclusion de tout sentiment de vengeance.

TABLE

ACHEVÉ D'IMPRIMER SUR LES
PRESSES DE L'IMPRIMERIE
DARANTIERE A DIJON, LE
QUINZE JUIN M. CM. LVII

Numéro d'édition 4.821
Dépôt légal 2ᵉ trimestre 1957